CLASSIQUES & CIE LYCÉE

Jean Racine

Phèdre (1677)

Préface **Laurent Mauvignier**

Texte intégral suivi d'un dossier critique
pour la préparation du bac français

Collection dirigée par
Johan Faerber

Édition établie, annotée et commentée par
Benedikte Andersson
agrégée de lettres modernes
ancienne élève de l'École normale supérieure

Hatier

LE TEXTE

LE DOSSIER

PHÈDRE

4 Préface de Laurent
   Mauvignier
11 Préface
17 Acte premier
41 Acte II
63 Acte III
79 Acte IV
100 Acte V

REPÈRES CULTURELS ET BIOGRAPHIQUES

122 **Pouvoir, théâtre, et religion sous le règne du Roi-Soleil**

124 **La vie de Jean Racine**

127 **La création de *Phèdre* : rivalités théâtrales et enjeux esthétiques**

PISTES DE LECTURE ET EXERCICES

129 **La structure de la pièce**
   EXERCICE 1 : Vers la question d'écriture
   EXERCICE 2 : Vers le commentaire

141 **Les personnages de *Phèdre* : des héros « ni tout à fait coupable[s], ni tout à fait innocents »**
   EXERCICE 3 : Vers l'écriture d'invention

149 ***Phèdre* : une tragédie classique**
   EXERCICE 4 : Vers la dissertation

Conception graphique de la maquette :
Texte : c-album, Jean-Baptiste Taisne, Rachel Pfleger
Dossier : Jehanne-Marie Husson
Principe de couverture : Double
Mise en pages : Chesteroc Ltd
Suivi éditorial : Luce Camus

© Hatier, Paris, 2011
ISBN : 978-2-218-95892-2

OBJECTIF BAC

Sujets d'écrit

160 **Sujet d'écrit 1 : Le dénouement théâtral**
A. Racine, *Phèdre*, 1677
B. Marivaux, *La Double inconstance*, 1723
C. Alfred de Musset, *Les Caprices de Marianne*, 1833

164 **Sujet d'écrit 2 : Dire la passion amoureuse**
A. Pseudo-Longin, *Traité du sublime*, Ier siècle apr. J.-C.
B. Ronsard, *Nouvelle Continuation des Amours*, 1556
C. Racine, *Phèdre*, 1677
D. Stendhal, *La Chartreuse de Parme*, 1839

Sujets d'oral

167 **Sujet d'oral 1 : La scène d'exposition**
En quoi les vers 29 à 56 de la scène 1 de l'acte I contribuent-il à l'exposition ?

168 **Sujet d'oral 2 : La tirade amoureuse**
Quelles sont les caractéristiques de l'amour d'Hippolyte ?

169 **Sujet d'oral 3 : La mythologie au théâtre**
Quel usage Racine fait-il de la mythologie dans les vers 634 à 662 ?

169 **Sujet d'oral 4 : Le récit au théâtre**
Comment le récit de Théramène donne-t-il l'impression au public d'avoir la scène de la mort d'Hippolyte sous les yeux ?

POUR ALLER PLUS LOIN

171 **À lire, à voir...**

175 **Lexique des mots récurrents**

185 **Lexique des noms propres**

Phèdre
ou la douleur de l'amour

par Laurent Mauvignier

Vous découvrez *Phèdre*, et vous vous inquiétez : Racine, c'est la figure *imposée*, son nom sent la vieille école, le bon goût académique. Or, rien n'est moins vrai que les préjugés qui font de Racine un auteur ennuyeux et formellement trop lisse, qu'il faudrait opposer à nos tempéraments modernes.

Racine, c'est d'abord très mélodieux. Il est vrai qu'on entend la harpe un peu surannée derrière – si, vous savez bien, « la fille de Minos et de Pasiphaé », ce vers tant de fois commenté pour sa beauté et sa mélodie. Mais écoutez mieux. Libérez-vous des siècles qui vous séparent de Racine. Libérez-vous des préjugés (les vôtres). Libérez-vous de ce que vous croyez savoir. Vous pourrez percevoir dans la voix d'Hippolyte un son dont le rythme nous parle, à vous, à moi, à tous, aujourd'hui, y compris parce que notre ignorance laisse aux noms qu'il nomme leur puissance poétique intacte : « Consolant les mortels de l'absence d'Alcide/Les monstres étouffés, ET les brigands punis,/ Procrustre, Cercyon, ET Scirron, ET Sinnis,/ET les os dispersés du géant d'Épidaure,/ET la Crète fumant du sang du Minotaure. »

Parlons du concert poétique qui frappe par son lyrisme et sa scansion, ces ET qui donnent un rythme soutenu, les homophonies et répétitions venant comme autant de petites bombes ponctuer le texte, le relancer (« Et les os dispersés du géant d'Épidaure »), qu'on peut entendre : « é-lé-zO-disse-Perssés-du-gé-ant-dé-pi-dAure », ou, plus loin encore, ce « fu-mant du-sang du-Mi no-taure – entendez les U, les AN, les O, AU, les « du-sang-du »). Tout cela est d'une grande beauté, qu'il faudrait prendre le temps d'ausculter comme un merveilleux organisme à dissé- quer, ou, pour prendre une image sans doute plus agréable, un réseau d'étoiles à contempler sous un ciel nocturne, en été, tant les relations, les relais, les effets de rupture, les connexions sont riches.

Ce qui est à entendre dans *Phèdre*, c'est l'art de la symétrie des formes, qui sont autant de ponctuations, de mouvements, par l'adresse à l'autre, par la profération : « quelle fureur.../Quel charme.../Quel poison.../Quel affreux.../De quel droit.../, Voulez-vous.../Vous laissez-vous.../osez-vous.../Vous offensez.../Vous trahissez... », tout cela, par exemple, en une seule réplique, celle d'Œnone à Phèdre dans la scène 3 de l'acte II.

On peut parler de la technique d'écriture, de la construction dramatique, et pas seulement pour dire – encore – combien Racine est le maître des classiques, combien il répond à toutes les exigences du genre, et avec quelle hauteur il le fait. Mais l'on pourrait aussi parler de Racine comme d'un très grand scénariste, comme d'un auteur incroyable par l'art de ses ellipses (par exemple, quand Hippolyte vient annoncer à Aricie qu'il doit partir, au début de l'acte V, la scène a déjà eu lieu quand nous arrivons. Au lieu d'Hippolyte racontant, nous avons la réponse d'Aricie). Oui, chez Racine, pas de temps mort, tout file très vite. Hollywood a des leçons à prendre, et ne s'en prive pas.

Et pourtant, d'action, il n'y a que les mots. Toujours l'ambivalence du non-dit et du dit, du caché et du révélé, une sorte de sous-conversation, à l'instar de Nathalie Sarraute. Il est vrai que le langage parle aussi à l'au-delà. On s'adresse aux morts, aux dieux, on implore, on prie.

Les mots dans *Phèdre* sont d'une telle importance que l'une des grandes actions de la pièce, la mort d'Hippolyte, n'en est que le récit. C'est Théramène qui raconte le combat du fils de Thésée, et, cette mort qu'il raconte, il nous la met sous les yeux, au présent, comme si nous y étions. Cependant, il met en doute la vérité du récit : la vérité du merveilleux est comme écornée par un « on dit même que », qui laisse suggérer l'aspect mythique, inexact ou parcellaire, relatif, du récit. C'est d'une grande modernité tant cela tient à cette puissance d'évocation des mots – par la violence des images aussi, loin de la mièvrerie qu'on prête trop souvent aux classiques : Théramène, dans une sorte de travelling de l'horreur, découvre Hippolyte traîné par ses chevaux, le sang ayant teint les rochers, les ronces sur la route en dégouttant portent aussi de « ses cheveux les dépouilles sanglantes ».

Beckett a beaucoup aimé Racine, le corps s'y réalisant dans la voix. Et que Patrice Chéreau, metteur en scène du très contemporain Bernard-Marie Koltès, s'empare de *Phèdre*, n'a rien d'étonnant : il est de ceux qui connaissent les passerelles entre les époques, et combien la frontière qui sépare les formes et les discours n'est rien quand se retrouvent l'exigence d'une hauteur de langue, l'impératif de dire ce tremblement du drame humain, la beauté, l'émotion et cette douleur de l'amour, qui est ce que Phèdre partage avec nous. Parce que *Phèdre*, ce n'est pas qu'une grande œuvre majeure poétiquement, c'est aussi une histoire, des personnages, des situations.

Le thème a été élaboré par Euripide (480-406 av. J.-C.) à partir d'un motif de la mythologie grecque, celui de la figure de la marâtre amoureuse du fils de son mari. Euripide a consacré deux pièces à ce fils, *Hippolyte voilé* (texte disparu), et *Hippolyte couronné,* dont Racine se revendique. D'ailleurs, la première version de Racine s'intitulait *Hippolyte,* et celle de la première édition (1677), *Phèdre et Hippolyte.* Comme si son personnage s'était imposé progressivement, comme si Phèdre elle-même avait pris sa place au fur et à mesure.

Chez Euripide, elle n'a qu'un rôle secondaire, Hippolyte est le véritable héros de la pièce. Il semblerait, quoiqu'il ne s'en vante pas parce qu'il n'était pas d'usage, à cette époque, d'en faire l'éloge, que Racine se soit inspiré de la *Phèdre* de Sénèque. Ce dernier insiste sur le caractère monstrueux de la famille de Phèdre. Elle a une sœur, Ariane, qui aide Thésée à tuer le Minotaure, né des amours de Pasiphaé, mère de Phèdre et d'un taureau sauvage. Racine, lui, n'insiste pas tant sur la nature, ni sur la monstruosité familiale. S'il y a inceste dans *Phèdre*, ce n'est pas à cause d'une tare congénitale, et la fatalité n'est que la conséquence d'un amour malheureux. Racine cherche autre chose.

Les dieux sont moins présents peut-être, la violence païenne pas autant au rendez-vous, mais les personnages, eux, n'en deviennent que plus complexes. La question centrale de *Phèdre*, c'est celle de la responsabilité des personnages. Ce qui constitue la grande force de la *Phèdre* de Racine, par rapport à celles de ses illustres prédécesseurs, c'est la complexité psychologique des protagonistes et de la situation. On pourrait résumer la pièce par l'équation suivante : 1. Thésée est le père d'Hippolyte. 2. Thésée est le mari de Phèdre, ce qui interdit à cette dernière d'aimer Hippolyte. 3. Aricie est la fille des ennemis de Thésée, ce qui interdit à Hippolyte de l'aimer. Sauf que Thésée, de disparu, est *annoncé* mort, avant de faire un retour fracassant. Parce que l'*annonce* de sa mort permet à Phèdre de faire l'*aveu,* d'abord à sa nourrice, ensuite à l'intéressé lui-même, de son amour pour Hippolyte, qui lui-même fera son *aveu* à Aricie.

D'aveux, de confessions, d'annonces, de proclamations, de prières : voilà de quoi est faite l'action de *Phèdre*, toujours les mots.

Ce qui est très beau chez Phèdre, à travers ce portrait de femme que dessine Racine, c'est que les dieux ne comptent pas tant que ça, que la fatalité est une conséquence. Phèdre est une femme qui n'est ni tout à fait coupable, ni tout à fait innocente, comme le dit Racine lui-même. C'est un portrait très nuancé, très riche, parce que c'est Œnone, la domestique, qui assume l'aspect machiavélique et cruel de sa maîtresse – celle-ci reste digne, honteuse de sa passion et ne pouvant pourtant y renoncer. Il y a un grand nombre de symétries entre les personnages, et, au fond, celle que je trouve la plus belle, dans sa discrétion, c'est ce qui unit Phèdre à Hippolyte : celui-ci, dès le début, ne parle que de partir (pour retrouver son père, pour fuir l'infamie), et Phèdre, dès le début, que de mourir. Les deux auront bien la mort en commun à la fin, mais, pour autant, rien n'assure qu'ils se retrouveront par elle. Car leur amour est marqué par l'impossibilité à deux générations distinctes de se rencontrer au-delà du temps (ce que seule, pourtant, la mort pourrait réussir).

Le portrait de Phèdre, tout nous le rend plus beau, plus touchant, jusqu'à la présence d'Aricie (qu'on ne trouve ni chez Sénèque, ni chez Euripide), dont la jeunesse et la pureté ont su toucher Hippolyte, pour accabler encore davantage Phèdre d'une douleur qu'elle doit ajouter à son fardeau : la jalousie. Celle d'une femme sur le déclin envers une rivale plus jeune.

Au fond, on peut dire qu'Hippolyte n'aime pas Phèdre, pour les raisons symétriques qui font que sa belle-mère tombe amoureuse de lui. Phèdre dit qu'il est le portrait de son père, et, ce qu'elle prétend, qu'en Hippolyte c'est Thésée qu'elle aime. Ce qui est faux, bien sûr, même si, en Hippolyte, ce qu'elle aime c'est l'image de l'amour, de la jeunesse, l'image d'un héros qui serait comme arrêté dans le temps : immortel comme un dieu, mais un dieu incarné. Pour les mêmes raisons, mais inversement, Hippolyte ne peut aimer qu'Aricie, et non Phèdre.

De légères touches, subtiles, dressent le portrait d'une femme qui ne veut pas renoncer à la vie, dont la beauté est de haïr ses passions au nom de la morale, mais en même temps de ne pas savoir ou pouvoir y renoncer, comme elle ne peut pas renoncer à vouloir être une femme qui désire. Jusqu'au bout elle refuse la fatalité de l'âge. Racine passe de la fatalité des dieux à celle de l'empêchement lié à la condition humaine : fatalité du sort des femmes dans des sociétés d'hommes, fatalité de la condition sociale, de la bienséance. Balzac et Flaubert ne sont pas encore là, mais déjà quelque chose d'un imaginaire lié à la psychologie dans un monde social et politique se met en place, dont Racine, sans le mesurer complètement, ouvre avec *Phèdre* une porte magnifique.

PHÈDRE[1]

Tragédie

---

1. En 1677, la pièce s'intitulait *Phèdre et Hippolyte*. En 1687, Racine réduit le titre à *Phèdre*.

Le texte que nous éditons est celui de l'édition originale, publiée chez Claude Barbin, en 1677. Les rares variantes significatives sont mentionnées en note. Nous avons, dans la mesure du possible, conservé la ponctuation originale, conçue comme devant guider la diction. Nous avons également fait le choix d'éclairer le texte à partir des dictionnaires et ouvrages de l'époque de Racine. En particulier, les notes renvoient au *Dictionnaire français* de Richelet (1680), au *Dictionnaire universel* de Furetière (1690), à la première édition du *Dictionnaire* de l'Académie française (1694) ainsi qu'aux *Remarques sur la langue française* (1647) au *Dictionnaire de ma langue française* de Lettre (1863-1872), du grammairien Vaugelas.

Préface (1677)

Voici encore une tragédie dont le sujet est pris d'Euripide[1]. Quoique j'aie suivi une route un peu différente de celle de cet auteur pour la conduite de l'action[2], je n'ai pas laissé d'enrichir ma pièce de tout ce qui m'a paru le plus éclatant dans la sienne. Quand je ne lui devrais que la seule idée du caractère[3] de Phèdre, je pourrais dire que je lui dois ce que j'ai peut-être mis de plus raisonnable[4] sur le théâtre. Je ne suis point étonné que ce caractère ait eu un succès si heureux du temps d'Euripide, et qu'il ait encore si bien réussi dans notre siècle, puisqu'il a toutes les qualités qu'Aristote demande dans le héros de la tragédie, et qui sont propres à exciter la compassion et la terreur[5]. En effet, Phèdre n'est ni tout à fait coupable, ni tout à fait innocente[6]. Elle est engagée par sa destinée, et par la colère des dieux, dans une passion illégitime dont elle a horreur toute la première. Elle fait tous ses efforts pour la surmonter. Elle aime

---

1. Euripide (484-406 av. J.-C.) est l'auteur d'*Hippolyte porte-couronne* (428 av. J.-C.) et d'une autre pièce, perdue, sur le même sujet, *Hippolyte voilé*, qui a peut-être influencé une autre source de Racine, la *Phèdre* latine de Sénèque (65 apr. J.-C.). Dans *La Thébaïde* (1664) et plus encore dans *Iphigénie* (1674), sa pièce précédente, Racine s'est inspiré de ce tragique grec. \ **2.** *Hippolyte porte-couronne* s'organise en deux parties : dans la première, la passion de Phèdre, en l'absence de Thésée, est avouée à la nourrice, qui prend l'initiative de la révéler à Hippolyte. L'indignation de ce dernier et son désespoir conduisent Phèdre au suicide. Dans la seconde partie, Thésée, de retour, trouve une lettre sur le corps de Phèdre qui accuse Hippolyte. Tenu au secret, ce dernier ne se disculpe pas et son père appelle sur lui la vengeance de Neptune. La déesse Artémis révèle trop tard son erreur à Thésée, et offre ainsi au père une réconciliation avec son fils sur son lit de mort. « Pour la conduite de l'action », Racine, à l'instar de ses prédécesseurs français, s'inspire davantage de la *Phèdre* de Sénèque : voir dossier, p. 127. \ **3.** *Caractère* est l'équivalent de l'*ethos* en rhétorique, c'est-à-dire l'ensemble des traits moraux qui définissent le personnage en accord avec ses actes et ses sentiments. \ **4.** *Raisonnable*, c'est-à-dire conforme à la raison, convenable : comme Racine l'explicite peu après, le *caractère* répond à la définition aristotélicienne du héros tragique. Si Phèdre la passionnée n'est pas raisonnable dans l'ordre de l'action, son personnage l'est dans l'ordre de la dramaturgie tragique. \ **5.** Au XVIIᵉ siècle, la théorie et la pratique de la tragédie se placent sous l'autorité de la *Poétique* d'Aristote (384-322 av. J.-C.) et y puisent leurs principes. Dans ce traité, en grande partie consacré à la tragédie, Aristote définit le genre par sa capacité à susciter la crainte et la pitié. \ **6.** Voir dossier, p. 14.

mieux se laisser mourir, que de la déclarer à personne. Et lorsqu'elle est forcée de la découvrir, elle en parle avec une confusion[1], qui fait bien voir que son crime est plutôt une punition des dieux, qu'un mouvement de sa volonté.

J'ai même pris soin de la rendre un peu moins odieuse[2] qu'elle n'est dans les tragédies des Anciens, où elle se résout d'elle-même à accuser Hippolyte[3]. J'ai cru que la calomnie avait quelque chose de trop bas et de trop noir pour la mettre dans la bouche d'une princesse, qui a d'ailleurs[4] des sentiments si nobles et si vertueux. Cette bassesse m'a paru plus convenable à une nourrice, qui pouvait avoir des inclinations plus serviles[5], et qui néanmoins n'entreprend cette fausse accusation que pour sauver la vie et l'honneur de sa maîtresse. Phèdre n'y donne les mains que parce qu'elle est dans une agitation d'esprit qui la met hors d'elle-même, et elle vient un moment après dans le dessein de justifier[6] l'innocence, et de déclarer la vérité.

Hippolyte est accusé dans Euripide et dans Sénèque d'avoir en effet[7] violé sa belle-mère. *Vim corpus tulit*[8]. Mais il n'est ici accusé que d'en avoir eu le dessein. J'ai voulu épargner à Thésée une confusion qui l'aurait pu rendre moins agréable aux spectateurs[9].

Pour ce qui est du personnage d'Hippolyte, j'avais remarqué dans les Anciens[10], qu'on reprochait à Euripide de l'avoir représenté comme un philosophe exempt de toute imperfection. Ce

---

1. *Confusion* : « se dit aussi pour signifier la honte » (*Dictionnaire de l'Académie*, 1694). \ **2.** *Odieux* : « qui excite l'aversion, la haine, l'indignation » (*Dictionnaire de l'Académie*, 1694). En latin, *odium* signifie « haine, aversion ». \ **3.** Chez Euripide (voir *Hippolyte porte-couronne*, v. 885-886), c'est une lettre de Phèdre, trouvée par Thésée sur son cadavre, qui accuse Hippolyte ; chez Sénèque (voir *Phèdre*, III, 2, v. 885-897), Phèdre ne nomme pas Hippolyte directement mais présente à Thésée l'épée de son fils, qu'il reconnaît. Néanmoins, dans la tragédie latine, la nourrice imagine le stratagème (voir II, 3, v. 720-732). \ **4.** *D'ailleurs* : par ailleurs. \ **5.** *Servile* : au sens propre, qui appartient à l'état d'esclave, de valet ; au sens figuré, vile, bas. \ **6.** *Justifier* : rendre justice à. \ **7.** *En effet* : « réellement » (*Dictionnaire de l'Académie*, 1694). \ **8.** « Mon corps a subi violence » (Sénèque, *Phèdre*, III, 2, v. 892). \ **9.** L'agrément du personnage repose, comme pour Phèdre, sur sa capacité à faire naître des émotions tragiques. Or, le ridicule associé au personnage du mari trompé met cela en péril. \ **10.** Les commentateurs ne relèvent pas chez les auteurs de l'Antiquité une telle condamnation.

qui faisait que la mort de ce jeune prince causait beaucoup plus d'indignation que de pitié[1]. J'ai cru lui devoir donner quelque faiblesse qui le rendrait un peu coupable envers son père, sans pourtant lui rien ôter de cette grandeur d'âme avec laquelle il épargne l'honneur de Phèdre, et se laisse opprimer[2] sans l'accuser. J'appelle faiblesse la passion qu'il ressent malgré lui pour Aricie, qui est la fille et la sœur des ennemis mortels de son père[3].

Cette Aricie n'est point un personnage de mon invention. Virgile dit qu'Hippolyte l'épousa et en eut un fils, après qu'Esculape l'eut ressuscité[4]. Et j'ai lu encore dans quelques auteurs qu'Hippolyte avait épousé et emmené en Italie une jeune Athénienne de grande naissance, qui s'appelait Aricie, et qui avait donné son nom à une petite ville d'Italie[5].

Je rapporte ces autorités parce que je me suis très scrupuleusement attaché à suivre la fable[6]. J'ai même suivi l'histoire de Thésée telle qu'elle est dans Plutarque[7].

C'est dans cet historien que j'ai trouvé que ce qui avait donné occasion de croire que Thésée fût descendu dans les enfers pour enlever Proserpine[8], était un voyage que ce prince avait fait en Épire vers

---

1. Selon Aristote (voir *Poétique*, 1452 b), l'infortune d'un héros sans défaut causerait au public de la répulsion, et non de la crainte et de la pitié. \ **2.** *Opprimer* : accabler. Le verbe tient cette acception de son étymologie : le latin *opprimere* (du préfixe *ob* et du verbe *premere*, « presser »), signifie au sens propre « comprimer, presser », et au sens figuré, « accabler, faire pression sur ». \ **3.** Plusieurs des prédécesseurs français de Racine avaient également fait d'Hippolyte un héros amoureux. \ **4.** Voir Virgile, *Énéide*, VII, v. 761-767. Esculape (Asclépios chez les Grecs) est le dieu de la médecine et son art, selon la légende, pouvait rendre les morts à la vie. \ **5.** Ces « quelques auteurs » sont peut-être ceux que mentionne B. de Vigenère dans sa traduction annotée des *Images ou Tableaux de plate peinture de Philostrate* (1re éd. 1578), plusieurs fois rééditée au XVIIe siècle : à savoir Ovide (43 av. 17 apr. J.-C.) [voir *Les Métamorphoses*, XV, v. 497-546 et *Les Fastes*, III, v. 262-265] et Virgile (voir note précédente). Selon la préface de la pièce rivale de Pradon, *Phèdre et Hippolyte* (1677), les « Tableaux de Philostrate » auraient fourni l'idée du personnage d'Aricie au concurrent de Racine. \ **6.** *Fable* : mythologie. « *Fable* se prend aussi dans un sens collectif, pour signifier toutes les fables de l'Antiquité païenne » (*Dictionnaire de l'Académie*, 1694). \ **7.** La première des *Vies parallèles* du biographe et moraliste grec Plutarque (autour de 46-125 apr. J.-C.) est consacrée à Thésée. \ **8.** *Proserpine* (Perséphone en grec), fille de Cérès (Déméter), était l'épouse du dieu des enfers Pluton (Hadès), frère de Neptune (Poséidon) et de Jupiter (Zeus).

la source de l'Achéron[1], chez un roi dont Pirithoüs[2] voulait enlever la femme, et qui arrêta Thésée prisonnier après avoir fait mourir Pirithoüs[3]. Ainsi j'ai tâché de conserver la vraisemblance de l'histoire, sans rien perdre des ornements de la fable qui fournit extrêmement à la poésie. Et le bruit[4] de la mort de Thésée fondé sur ce voyage fabuleux, donne lieu à Phèdre de faire une déclaration d'amour, qui devient une des principales causes de son malheur, et qu'elle n'aurait jamais osé faire tant qu'elle aurait cru que son mari était vivant.

Au reste, je n'ose encore assurer que cette pièce soit en effet[5] la meilleure de mes tragédies. Je laisse et aux lecteurs et au temps à décider de son véritable prix. Ce que je puis assurer, c'est que je n'en ai point fait où la vertu soit plus mise en jour[6] que dans celle-ci. Les moindres fautes y sont sévèrement punies. La seule pensée du crime y est regardée avec autant d'horreur que le crime même. Les faiblesses de l'amour y passent pour de vraies faiblesses. Les passions n'y sont présentées aux yeux que pour montrer tout le désordre dont elles sont cause. Et le vice y est peint partout avec des couleurs qui en font connaître et haïr la difformité[7]. C'est là proprement le but que tout homme qui travaille pour le public doit se proposer. Et c'est ce que les premiers poètes tragiques avaient en vue sur toute chose[8]. Leur théâtre était une école où la

---

1. Fleuve de l'Épire, région du nord-est de la Grèce, l'*Achéron* passait pour arroser les Enfers, et était ainsi confondu avec le fleuve infernal du même nom. \ 2. *Pirithoüs* (Pirithoos) : ami légendaire de Thésée. \ 3. Pour la réécriture racinienne de la légende, voir *Phèdre*, III, 5, v. 957 et suiv., et dossier, p. 143. \ 4. *Bruit* : « une sorte de nouvelle qui se dit et qui court » (*Dictionnaire* de Richelet, 1680). \ 5. *En effet* : réellement. \ 6. *Mettre en jour* : « figurément donner une tournure qui fasse valoir » (*Dictionnaire* de Littré). \ 7. *Difformité* : « laideur […]. Il se dit figurément des choses morales » (*Dictionnaire de l'Académie*, 1694). La défense de la moralité de la pièce, et plus largement de la tragédie dans le dernier paragraphe, s'inscrit dans l'actualité des polémiques de l'époque autour de la question de la moralité du théâtre. Nombre de voix pieuses, et entre autres celles des jansénistes, premiers maîtres de Racine, s'élèvent pour condamner le théâtre pour cause d'immoralité. Dans son traité *De la comédie* (1667), le janséniste Pierre Nicole considère ainsi que l'esthétique séduisante de la représentation théâtrale confère aux vices portés à la scène une puissance de séduction hautement corruptrice. Racine répond également probablement aux critiques faites à la pièce et peut-être plus précisément à la *Dissertation sur les tragédies de Phèdre et d'Hippolyte*, parue peu de temps avant la publication de *Phèdre*. \ 8. *Sur toute chose* : avant toute chose.

vertu n'était pas moins bien enseignée que dans les écoles des philosophes. Aussi Aristote a bien voulu donner des règles du poème dramatique[1], et Socrate, le plus sage des philosophes, ne dédaignait pas de mettre la main aux tragédies d'Euripide[2]. Il serait à souhaiter que nos ouvrages fussent aussi solides et aussi pleins d'utiles instructions que ceux de ces poètes. Ce serait peut-être un moyen de réconcilier la tragédie avec quantité de personnes célèbres par leur piété et par leur doctrine[3], qui l'ont condamnée dans ces derniers temps, et qui en jugeraient sans doute plus favorablement, si les auteurs songeaient autant à instruire leurs spectateurs qu'à les divertir, et s'ils suivaient en cela la véritable intention[4] de la tragédie.

---

1. Racine fait allusion à la *Poétique*, traité en grande partie consacré à la tragédie et référence incontournable pour le théâtre du XVIIᵉ siècle, composé par le philosophe grec Aristote. \ 2. Les *Vies, doctrines et sentences des philosophes illustres* (II, VI), de Diogène Laërce (1ʳᵉ moitié du IIIᵉ siècle apr. J.-C.), le rapportent. \ 3. *Doctrine* : « savoir, érudition » (*Dictionnaire de l'Académie*, 1694). Racine pense sans doute au janséniste Pierre Nicole, dont le *Traité de la comédie* avait été réédité deux ans plus tôt, ainsi qu'à d'autres, comme peut-être le prince de Conti, libertin repenti, dont le *Traité de la comédie et des spectacles* avait paru en 1666. \ 4. *Intention* : « [ce vers quoi] on tend, on vise à quelque fin » (*Dictionnaire de l'Académie*, 1694).

Personnages

THÉSÉE, *fils d'Égée, roi d'Athènes.*

PHÈDRE, *femme de Thésée, fille de Minos et de Pasiphaé*[1].

HIPPOLYTE, *fils de Thésée, et d'Antiope, reine des Amazones.*

ARICIE, *princesse du sang royal d'Athènes*[2].

ŒNONE, *nourrice et confidente de Phèdre.*

THÉRAMÈNE, *gouverneur d'Hippolyte.*

ISMÈNE, *confidente d'Aricie.*

PANOPE, *femme de la suite de Phèdre.*

GARDES.

La scène est à Trézène[3]*, ville du Péloponnèse.*

---

1. La périphrase « la fille de Minos et de Pasiphaé » correspond à un alexandrin, que Racine utilise à plusieurs reprises pour désigner l'héroïne éponyme. Minos, roi de Crète, avait pour épouse Pasiphaé, fille du Soleil. Afin de se venger de celui-ci qui avait dévoilé ses amours avec Mars, Vénus inspira à celle-là une passion funeste pour un taureau, dont le fruit fut le Minotaure, à moins que cette passion ne fût l'effet d'une vengeance de Neptune auquel Minos avait refusé le sacrifice de ce même taureau surgi de la mer (les traditions diffèrent). Minos fit construire un labyrinthe où il enferma le Minotaure, auquel, chaque année, étaient offerts en sacrifice par Athènes sept jeunes gens et sept jeunes filles, jusqu'à ce que Thésée tue le monstre et puisse sortir du labyrinthe grâce à l'aide d'Ariane, sœur de Phèdre, et de la pelote de fil qu'elle lui avait donnée et qui lui permit de retrouver la sortie. \ **2.** *Sang* est ici à prendre au sens figuré pour *lignée*. Racine fait d'Aricie la sœur des Pallantides, les cousins de Thésée et ses rivaux dans la succession d'Égée au trône d'Athènes. \ **3.** La ville de *Trézène*, où aurait régné Pitthée, grand-père maternel de Thésée et frère de Thyeste et d'Atrée, est associée à la légende de Thésée. Le héros y fut élevé et selon la légende que suit Euripide dans sa tragédie *Hippolyte*, après avoir massacré Pallas (ou Pallante), son oncle, et ses fils, les Pallantides, ses cousins, qui espéraient succéder à son père Égée, Thésée, exilé d'Athènes, passa un an à Trézène. Racine suit Euripide en situant l'action à Trézène ; Sénèque et ses prédécesseurs français choisissent Athènes.

Acte premier

Scène première

HIPPOLYTE, THÉRAMÈNE

HIPPOLYTE

Le dessein [1] en est pris, je pars, cher Théramène,
Et quitte le séjour de l'aimable Trézène,
Dans le doute [2] mortel dont je suis agité
Je commence à rougir de mon oisiveté.
Depuis plus de six mois éloigné de mon père
J'ignore le destin d'une tête [3] si chère.
J'ignore jusqu'aux lieux qui le [4] peuvent cacher.

THÉRAMÈNE

Et dans quels lieux, Seigneur, l'allez-vous donc chercher ?
Déjà pour satisfaire à [5] votre juste crainte,
10 J'ai couru les deux mers que sépare Corinthe [6].

---

1. *Dessein* : « résolution de faire quelque chose » (*Dictionnaire de l'Académie*, 1694). \ **2.** *Doute* : signifie « quelquefois crainte, appréhension » (*Dictionnaire de l'Académie*, 1694). \ **3.** *Tête* : « se [dit] aussi pour toute la personne » (*Dictionnaire de l'Académie*, 1694). Le projet d'Hippolyte rappelle celui de Télémaque quittant Ithaque à la recherche de son père Ulysse (Homère, *Odyssée*, II-IV). \ **4.** *Le peuvent cacher* : dans la langue classique, le pronom personnel complément se place régulièrement avant la périphrase verbale. Vaugelas préfère cette tournure à la construction moderne. Le texte présente de nombreuses occurrences relevant de cette construction (voir, par exemple, le vers suivant). \ **5.** *Satisfaire à* : « faire ce qu'on doit à l'égard de quelque chose » (*Dictionnaire de l'Académie*, 1694). \ **6.** L'isthme (langue de terre entre deux mers) de Corinthe sépare la mer Égée et la mer Ionienne et relie le Péloponnèse à la Grèce continentale.

J'ai demandé Thésée aux peuples de ces bords[1]
Où l'on voit l'Achéron[2] se perdre chez les morts.
J'ai visité l'Élide, et laissant le Ténare,
Passé jusqu'à la mer qui vit tomber Icare[3].
Sur quel espoir nouveau, dans quels heureux climats
Croyez-vous découvrir la trace de ses pas ?
Qui sait même, qui sait si le roi votre père
Veut que de son absence on sache le mystère[4]?
Et si lorsque avec vous nous tremblons pour ses jours,
20 Tranquille, et nous cachant de nouvelles amours,
Ce héros n'attend point qu'une amante abusée[5]…

HIPPOLYTE

Cher Théramène, arrête, et respecte Thésée.
De ses jeunes erreurs[6] désormais revenu,
Par un indigne obstacle il n'est point retenu.
Et fixant de ses vœux[7] l'inconstance fatale[8],

---

1. *Bords* : rives, rivages, mais aussi frontières d'un pays et, par métonymie, pays, contrée. \ **2.** L'*Achéron* est le nom d'un fleuve des Enfers, mais aussi de plusieurs cours d'eau situés, soit en Élide, à l'ouest du Péloponnèse ; soit en Épire, au nord-ouest de la Grèce, où les Grecs situaient une entrée des Enfers ; soit en Laconie, où il disparaît à proximité du cap Ténare, au sud du Péloponnèse et donc à proximité, pour les Grecs, d'une entrée des Enfers. \ **3.** *La mer qui vit tomber Icare* : la mer Icarienne s'étend autour de l'île d'Icarie, au large de l'Asie Mineure. La périphrase fait allusion à un épisode de la légende du Minotaure. L'architecte Dédale, père d'Icare, construisit en effet le labyrinthe où était enfermé le monstre. Mais il construisit aussi la vache en bois qui permit l'union de Pasiphaé et du taureau dont elle était éprise. Pour l'en punir, Minos l'emprisonna dans le labyrinthe avec son fils. L'ingénieux Dédale imagina de s'évader par la voie des airs et façonna des ailes fixées sur leurs épaules avec de la cire. Mais Icare, oublieux des recommandations de son père, vola trop près du soleil : la cire fondit et il se noya dans la mer à laquelle la légende a donné son nom. \ **4.** *Mystère* : « secret » (*Dictionnaire de l'Académie française*, 1694). \ **5.** *Une amante abusée* : dans la langue classique, l'*amante* est celle qui aime, et est aimée en retour, à la différence de l'amoureuse. Le terme ne possède pas de dénotation sexuelle ; il appartient au champ sentimental. *Abusée* : trompée, c'est-à-dire en proie à la tromperie, à l'erreur, à une illusion. \ **6.** *Jeunes erreurs* : erreurs de jeunesse. \ **7.** *Vœux* : désirs amoureux. \ **8.** *Fatale* : cet adjectif, qui dénote le tragique, revient à plusieurs reprises dans la pièce. Étymologiquement, il provient du latin *fatalis* qui dérive de *fatum* (la prédiction, le destin, et en particulier le destin funeste, le malheur) et se rattache à l'idée d'une profération divine réglant inéluctablement les destinées. Dans la langue classique, *fatal* possède également un sens plus large et peut équivaloir à « funeste ».

Phèdre depuis longtemps ne craint plus de rivale.

Enfin en le cherchant je suivrai mon devoir,

Et je fuirai ces lieux que je n'ose plus voir.

THÉRAMÈNE

Hé depuis quand, Seigneur, craignez-vous la présence

30 De ces paisibles lieux, si chers à votre enfance,

Et dont je vous ai vu préférer le séjour

Au tumulte pompeux d'Athènes, de la cour[1] ?

Quel péril, ou plutôt quel chagrin[2] vous en chasse ?

HIPPOLYTE

Cet heureux temps n'est plus. Tout a changé de face

Depuis que sur ces bords les dieux ont envoyé

La fille de Minos et de Pasiphaé[3].

THÉRAMÈNE

J'entends. De vos douleurs la cause m'est connue,

Phèdre ici vous chagrine[4], et blesse votre vue.

Dangereuse marâtre[5], à peine elle vous vit,

40 Que votre exil d'abord signala son crédit[6].

Mais sa haine sur vous autrefois attachée

Ou s'est évanouie, ou s'est bien relâchée.

Et d'ailleurs quel péril[7] vous peut faire courir

Une femme mourante, et qui cherche à mourir ?

Phèdre atteinte d'un mal qu'elle s'obstine à taire,

---

1. *Au tumulte pompeux d'Athènes, de la cour* : Racine corrige le vers dès 1687. Dans l'édition de 1697, on lit : « d'Athène et de la cour » (la licence orthographique, qui autorise à écrire *Athène* sans *s*, est rendue nécessaire par la prosodie). *Pompeux* se dit alors, sans nuance défavorable, de ce qui est magnifique, grandiose, somptueux. \ 2. *Chagrin* : humeur fâcheuse, mécontentement, inquiétude. \ 3. *La fille de Minos et de Pasiphaé* : voir lexique, p. 185. \ 4. *Chagriner* : mettre d'humeur fâcheuse, mécontenter, inquiéter. \ 5. *Marâtre* : belle-mère. \ 6. *Son crédit* : son influence. \ 7. Dans l'édition de 1697, Racine écrit « quels périls ».

Lasse enfin d'elle-même, et du jour qui l'éclaire,
Peut-elle contre vous former quelques desseins[1] ?

HIPPOLYTE

Sa vaine inimitié n'est pas ce que je crains.
Hippolyte en partant fuit une autre ennemie[2].
50   Je fuis, je l'avouerai, cette jeune Aricie,
Reste d'un sang fatal[3] conjuré contre nous.

THÉRAMÈNE

Quoi ? vous-même, Seigneur, la persécutez-vous ?
Jamais l'aimable sœur des cruels Pallantides[4]
Trempa-t-elle aux complots de ses frères perfides ?
Et devez-vous haïr ses innocents appas[5] ?

HIPPOLYTE

Si je la haïssais, je ne la fuirais pas.

THÉRAMÈNE

Seigneur, m'est-il permis d'expliquer votre fuite ?
Pourriez-vous n'être plus ce superbe[6] Hippolyte,
Implacable ennemi des amoureuses lois[7],

---

1. *Desseins* : voir lexique, p. 175. \ **2.** *Ennemie* peut être pris au sens propre mais aussi par antiphrase : « *Ennemi* se dit quelquefois en galanterie par antiphrase. Un amant appelle sa maîtresse, sa douce *ennemie* » (*Dictionnaire* de Furetière, 1690). \ **3.** *Sang fatal* : lignée funeste, famille porteuse de mort. Voir lexique, p. 175. \ **4.** *Cruels Pallantides* : fils de Pallas (ou Pallante), le frère d'Égée, père de Thésée, les cinquante Pallantides, ignorant l'existence de Thésée, élevé à Trézène, espéraient succéder à Égée sur le trône d'Athènes. Au retour de Thésée, ils contestèrent sa légitimité et conspirèrent contre lui. Thésée les massacra tous (voir lexique p. 185). *Cruel* provient du latin *cruor*, « le sang qui coule » et possède encore son sens étymologique. \ **5.** *Innocents appas* : les *appas* d'Aricie, c'est-à-dire ses charmes, ses attraits, sont dits *innocents* car elle n'a pas « tremp[é] aux complots de ses frères perfides » \ **6.** *Superbe* : « qui est orgueilleux, d'un orgueil qui apparaît dans l'air et l'extérieur » (*Dictionnaire* de Littré). L'adjectif vient du latin *superbus* qui signifie à l'origine « qui est au-dessus des autres ». Dans la pièce, il contribue à la définition de la figure tragique d'Hippolyte. \ **7.** *Les amoureuses lois* : les lois de l'amour.

60 Et d'un joug[1] que Thésée a subi tant de fois ?

Vénus par votre orgueil si longtemps méprisée,

Voudrait-elle à la fin justifier[2] Thésée ?

Et vous mettant au rang du reste des mortels,

Vous a-t-elle forcé d'encenser ses autels ?

Aimeriez-vous, Seigneur ?

HIPPOLYTE

Ami, qu'oses-tu dire ?

Toi, qui connais mon cœur depuis que je respire,

Des sentiments d'un cœur si fier[3], si dédaigneux,

Peux-tu me demander le désaveu honteux ?

C'est peu qu'avec son lait une mère amazone[4]

70 M'a fait sucer encor cet orgueil qui t'étonne[5].

Dans un âge plus mûr moi-même parvenu,

Je me suis applaudi, quand je me suis connu[6].

Attaché près de moi par un zèle sincère,

Tu me contais alors l'histoire de mon père.

Tu sais combien mon âme attentive à ta voix

---

1. *Joug* : au sens figuré, désigne ici, et comme souvent dans la langue classique, le lien amoureux exerçant sa force et sa puissance de contrainte sur celui qui aime. Cette métaphore lexicalisée est à nouveau employée aux vers 444, 762 et 1303 et s'articule à l'imaginaire du dressage et en particulier au champ de l'équitation, si essentiel pour la construction de la figure d'Hippolyte. \ **2.** Voir préface, note 7, p. 12. \ **3.** *Fier* : conserve encore une part de son sens étymologique. Le mot vient du latin *ferus* qui signifie « sauvage, farouche ». En outre, il possède une valeur sentimentale : *fierté* « se dit de l'état de l'âme d'une femme qui ne se rend pas à l'amour » (*Dictionnaire* de Littré). \ **4.** Selon la liste des personnages, Hippolyte est le « fils de Thésée et d'Antiope, reine des Amazones ». Selon la légende, les Amazones, peuple de femmes descendant du dieu de la guerre Arès, étaient réputées pour leur caractère guerrier et pour le peu de cas qu'elles faisaient des hommes. \ **5.** *Qui t'étonne* : le sens moderne du verbe *étonner* apparaît au XVIIe siècle. Néanmoins, le sens étymologique du verbe (du latin *adtonare*, qui signifie « frapper par la foudre », puis au figuré « frapper de stupeur ») est encore très présent. Le *Dictionnaire* de Furetière (1690) définit le verbe en ces termes : « causer à l'âme de l'émotion, soit par surprise, soit par admiration, soit par crainte » \ **6.** *Se connaître* : avoir conscience de son état, savoir qui l'on est.

S'échauffait aux récits de ses nobles exploits ;
Quand tu me dépeignais ce héros intrépide
Consolant les mortels de l'absence d'Alcide[1] ;
Les monstres étouffés, et les brigands punis,
80 Procruste, Cercyon, et Scirron, et Sinnis[2],
Et les os dispersés du géant d'Épidaure[3],
Et la Crète fumant du sang du Minotaure[4].
Mais quand tu récitais[5] des faits moins glorieux,
Sa foi[6] partout offerte, et reçue en cent lieux ;
Hélène à ses parents dans Sparte dérobée[7],
Salamine témoin des pleurs de Péribée[8],
Tant d'autres, dont les noms lui sont même échappés,

---

1. *Alcide* : Hercule, petit-fils d'Alcée, connu pour ses Douze Travaux qui sont autant d'exploits héroïques. Les légendes d'Hercule et de Thésée sont reliées. D'une part, on leur associe parfois des aventures partagées, comme la guerre contre les Amazones. D'autre part, ils figurent tous deux des héros exemplaires et symétriques l'un de l'autre. Comme à Hercule, on associe parfois une origine divine à Thésée, ce qui fait d'eux des héros, au sens étymologique de « demi-dieu ». \ **2.** Les quatre brigands *Procruste, Cercyon, Sciron* (Scirron) et *Sinnis* profitèrent de l'absence d'Hercule, retenu auprès d'Omphale en Lydie, pour reprendre leurs activités et furent tués par le jeune Thésée qui aspirait à la même gloire qu'Hercule et revenait alors à Athènes pour se faire reconnaître comme fils de son père. \ **3.** Périphétès, « *le géant d'Épidaure* », qui tuait les voyageurs, fut également tué par Thésée lors de son retour à Athènes. Selon les *Métamorphoses* (VII, v. 443 et suiv.) du poète latin Ovide (43 av.-17 apr. J.-C.), les « os dispersés » sont ceux de Sciron. \ **4.** *Le Minotaure* : voir lexique, p. 185. \ **5.** *Réciter* : raconter, rapporter. \ **6.** *Foi* : engagement amoureux. Dans *La Vie de Thésée*, Plutarque écrit : « On trouve plusieurs autres contes touchant [aux] mariages de Thésée, dont les commencements n'ont point été honnêtes, ni les issues bien fortunées ; et néanmoins on n'en a point fait de tragédies, [ni de pièces de théâtre]. » (Traduction Jacques Amyot [1559], éd. 1565.) \ **7.** L'enlèvement d'Hélène, pas encore mariée à Ménélas, par Thésée et son ami Pirithoos, appartient selon la légende à l'âge mûr du héros. Les deux amis avaient promis d'épouser chacun une fille de Zeus (Jupiter). C'est à Thésée qu'échut Hélène et Pirithoos aida son ami à l'enlever. À son tour, Thésée prêta main forte à Pirithoos pour le rapt de Perséphone (Proserpine). Racine fait appel à la légende de l'enlèvement d'Hélène pour le dénouement de sa pièce précédente, *Iphigénie* (1674), où il fait d'Ériphile la fille de Thésée et d'Hélène. \ **8.** Selon la légende, *Péribée*, fille du roi de Mégare, faisait partie des jeunes Athéniens envoyés en pâture au Minotaure et accompagnés par Thésée. Elle fut convoitée par Minos, épousa Thésée, qui l'abandonna, et devint enfin l'épouse de Télamon, roi de Salamine, dont elle eut un fils, le « grand » Ajax.

Trop crédules esprits que sa flamme a trompés ;
Ariane aux rochers contant ses injustices[1],
90   Phèdre enlevée enfin sous de meilleurs auspices[2] ;
Tu sais[3], comme à regret écoutant ce discours,
Je te pressais souvent d'en abréger le cours,
Heureux ! si j'avais pu ravir à la mémoire[4]
Cette indigne moitié d'une si belle histoire.
Et moi-même à mon tour je me verrais lié ?
Et les dieux jusque-là m'auraient humilié ?
Dans mes lâches soupirs d'autant plus méprisable,
Qu'un long amas d'honneurs rend Thésée excusable,
Qu'aucuns[5] monstres par moi domptés jusqu'aujourd'hui
100 Ne m'ont acquis le droit de faillir comme lui.
Quand même ma fierté pourrait s'être adoucie,
Aurais-je pour vainqueur dû choisir Aricie ?
Ne souviendrait-il plus à mes sens égarés
De l'obstacle éternel qui nous a séparés ?
Mon père la réprouve, et par des lois sévères
Il défend de donner des neveux à ses frères.
D'une tige coupable il craint un rejeton.
Il veut avec leur sœur ensevelir leur nom,
Et que jusqu'au tombeau soumise à sa tutelle,
110 Jamais les feux d'hymen[6] ne s'allument pour elle.

---

1. Thésée avait promis à Ariane, en échange de son aide pour sortir du labyrinthe, de la ramener dans sa patrie et de l'épouser. Mais, en route vers Athènes, il l'abandonna sur l'île de Naxos. Les élégiaques latins, Catulle (Iᵉʳ siècle av. J.-C.) et Ovide, ont imaginé les plaintes de l'héroïne (voir Catulle, LXIV et Ovide, *Héroïdes*, IX, « D'Ariane à Thésée »). \ **2.** Selon la tradition, Phèdre ne fut pas enlevée par Thésée mais lui fut donnée en mariage par son frère Deucalion. C'est peut-être l'*Ariane* (1672) de Thomas Corneille qui a inspiré la mention de cet autre rapt à Racine. \ **3.** Nous conservons cette virgule de 1677 : s'il ne s'agit pas d'une coquille, elle introduit une nuance sémantique. \ **4.** *Mémoire* : souvenir de la postérité. \ **5.** *Aucuns* : dans la langue classique, *aucun* pouvait encore s'employer au pluriel. \ **6.** *Hymen* : terme poétique pour désigner le mariage.

Dois-je épouser ses droits contre un père irrité ?
Donnerai-je l'exemple à la témérité ?
Et dans un fol amour ma jeunesse embarquée[1]…

THÉRAMÈNE

Ah, Seigneur ! Si votre heure est une fois marquée,
Le ciel de nos raisons ne sait point s'informer[2].
Thésée ouvre vos yeux en voulant les fermer,
Et sa haine irritant une flamme rebelle[3],
Prête à son ennemie une grâce nouvelle.
Enfin d'un chaste amour pourquoi vous effrayer ?
120   S'il a quelque douceur, n'osez-vous l'essayer[4] ?
En croirez-vous toujours un farouche[5] scrupule ?
Craint-on de s'égarer sur les traces d'Hercule[6] ?
Quels courages[7] Vénus n'a-t-elle pas domptés !
Vous-même où seriez-vous, vous qui la combattez,
Si toujours Antiope à ses lois opposée
D'une pudique ardeur n'eût brûlé pour Thésée[8] ?
Mais que sert d'affecter un superbe discours[9] ?

---

1. *Embarquer* : « signifie aussi figurément s'engager à quelque chose, ou dans quelque chose » (*Dictionnaire de l'Académie*, 1684). \ **2.** *Le ciel de nos raisons ne sait point s'informer* : la syntaxe de la phrase est elliptique : si votre heure a été décidée une fois pour toutes (« si votre heure est une fois marquée »), vous aurez beau faire, cela ne servira à rien, car « le ciel » n'a pas pour habitude de s'instruire (« ne sait point s'informer de nos raisons »), et par conséquent d'en tenir compte. \ **3.** *Irritant une flamme rebelle* : irriter « se dit figurément en choses morales, et signifie exciter, rendre plus vif et plus fort » (*Dictionnaire* de Furetière, 1690). La *flamme* est la métaphore d'un amour dit *rebelle* en ce qu'il s'oppose aux volontés de Thésée. \ **4.** *Essayer* : faire l'expérience de. \ **5.** *Farouche* : « sauvage, qui n'est point apprivoisé, qui s'épouvante et s'enfuit quand on l'approche. […] Il se dit figurément des personnes, et signifie rude et peu traitable » (*Dictionnaire de l'Académie*, 1694). \ **6.** Comme Thésée, Hercule est célèbre pour ses tâches héroïques mais aussi pour ses aventures amoureuses. En témoignent ses amours avec Omphale, la reine de Lydie. \ **7.** *Courages* : cœurs. \ **8.** L'argument se retrouve dans l'*Hippolyte* (1645) de Gilbert (voir II, 3) ainsi que dans *Les Femmes savantes* (1672) de Molière (voir I, 1, v. 77-80). On a pu reprocher à Racine la teneur argumentative de la tirade de Théramène comme peu conforme à sa condition de « gouverneur ». \ **9.** *Un superbe discours* : un langage plein d'orgueil.

Avouez-le, tout change. Et depuis quelques jours
On vous voit moins souvent, orgueilleux, et sauvage,
130 Tantôt faire voler un char sur le rivage,
Tantôt savant dans l'art par Neptune inventé [1],
Rendre docile au frein un coursier indompté.
Les forêts de nos cris moins souvent retentissent.
Chargés d'un feu secret, vos yeux s'appesantissent.
Il n'en faut point douter, vous aimez, vous brûlez.
Vous périssez d'un mal que vous dissimulez.
La charmante [2] Aricie a-t-elle su vous plaire ?

HIPPOLYTE

Théramène, je pars, et vais chercher mon père.

THÉRAMÈNE

Ne verrez-vous point Phèdre avant que de partir,
140 Seigneur ?

HIPPOLYTE

C'est mon dessein, tu peux l'en avertir.
Voyons-la, puisque ainsi mon devoir me l'ordonne.
Mais quel nouveau malheur trouble sa chère Œnone ?

---

1. *Neptune* (Poséidon), le dieu des mers, passait pour avoir inventé l'art de l'équitation. Il aurait également fait naître d'un rocher le premier cheval. Le nom d'Hippolyte (du grec *hippos*, « cheval », et *luein*, « délier »), associe l'identité du héros aux exercices équestres, tout en programmant sa destinée. \ 2. *Charme* vient du latin *carmen*, et en conserve le sens étymologique de « formule d'incantation magique, sortilège, enchantement ». Selon les dictionnaires de l'époque, il signifie au propre « puissance magique par laquelle les sorciers font des choses merveilleuses, au-dessus des forces ou contre l'ordre de la nature » (*Dictionnaire* de Furetière, 1690) et au figuré « attrait, appât, qui plaît extrêmement, qui touche sensiblement » (*Dictionnaire de l'Académie*, 1694). En l'occurrence et selon le sens figuré, est *charmante* la beauté qui enchante.

Scène 2

HIPPOLYTE, ŒNONE, THÉRAMÈNE

ŒNONE

Hélas, Seigneur ! quel trouble au mien peut être égal ?
La reine touche presque à son terme fatal[1].
En vain à l'observer jour et nuit je m'attache,
Elle meurt dans mes bras d'un mal qu'elle me cache.
Un désordre éternel[2] règne dans son esprit.
Son chagrin inquiet[3] l'arrache de son lit.
Elle veut voir le jour. Et sa douleur profonde
150 M'ordonne toutefois d'écarter tout le monde…
Elle vient.

HIPPOLYTE

Il suffit, je la laisse en ces lieux,
Et ne lui montre point un visage odieux[4].

Scène 3[5]

PHÈDRE, ŒNONE

PHÈDRE

N'allons point plus avant. Demeurons, chère Œnone.
Je ne me soutiens plus. Ma force m'abandonne.

---

1. Phèdre est sur le point de mourir. Pour *fatal* : voir lexique, p. 175. \ **2.** *Éternel* : « qui doit durer si longtemps qu'on n'en sait point la fin » (*Dictionnaire de l'Académie*, 1694). \ **3.** *Chagrin inquiet* : humeur noire qui ne laisse aucun repos. Le mot *inquiet* a encore son sens étymologique : en latin, *quies* signifie « repos ». \ **4.** *Odieux* : « qui excite l'aversion, la haine, l'indignation » (*Dictionnaire de l'Académie*, 1694). En latin, *odium* signifie « haine, aversion ». Voir préface, note 3, p. 12. \ **5.** La scène est assez fidèlement inspirée par le souvenir du premier épisode de l'*Hippolyte* du tragique grec Euripide.

Mes yeux sont éblouis du jour que je revoi[1],
Et mes genoux tremblants[2] se dérobent sous moi.
Hélas !

(Elle s'assit[3].)

ŒNONE

Dieux tout-puissants ! que nos pleurs vous apaisent !

PHÈDRE

Que ces vains ornements, que ces voiles me pèsent !
Quelle importune main, en formant tous ces nœuds,
160 A pris soin sur mon front d'assembler mes cheveux ?
Tout m'afflige[4], et me nuit, et conspire à me nuire.

ŒNONE

Comme on voit tous ses vœux l'un l'autre se détruire !
Vous-même condamnant vos injustes desseins,
Tantôt à vous parer vous excitiez nos mains.
Vous-même rappelant votre force première,
Vous vouliez vous montrer et revoir la lumière.
Vous la voyez, Madame, et prête à vous cacher,
Vous haïssez le jour que vous veniez chercher ?

PHÈDRE

Noble et brillant auteur d'une triste famille,

---

1. La désinence *-s* de première personne du singulier du présent de l'indicatif pour les verbes du troisième groupe n'est pas étymologique. Elle gagne progressivement l'ensemble des verbes du troisième groupe, et certains, à radicaux vocaliques, résistent encore au XVIIe siècle. L'orthographe de 1677 donne en fait « revoy » qui rime avec « moy ». \ **2.** *Tremblants* peut s'interpréter comme un adjectif ou comme un participe présent. En effet, au XVIIe siècle, l'invariabilité du participe présent n'est pas encore systématique, en particulier pour les verbes intransitifs et pour le masculin pluriel. \ **3.** *S'assied* est la seule forme régulière pour la troisième personne du singulier du présent de l'indicatif, selon Vaugelas. \ **4.** *Affliger* : du latin *affligere* (« frapper d'un coup, heurter », d'où « abattre, terrasser »), ce verbe signifie « accabler », « causer de la douleur, faire souffrir, soit au corps, soit à l'esprit » (*Dictionnaire de l'Académie*, 1694).

170 Toi, dont la mère osait se vanter d'être fille [1],
   Qui peut-être rougis du trouble où tu me vois,
   Soleil, je te viens voir pour la dernière fois [2].

ŒNONE

Quoi ? vous ne perdrez point cette cruelle [3] envie ?
Vous verrai-je toujours, renonçant à la vie,
Faire de votre mort les funestes [4] apprêts ?

PHÈDRE

Dieux ! Que ne suis-je assise à l'ombre des forêts !
Quand pourrai-je au travers d'une noble poussière
Suivre de l'œil un char fuyant dans la carrière [5] !

ŒNONE

Quoi, Madame ?

PHÈDRE

                    Insensée, où suis-je ? et qu'ai-je dit ?
180 Où laissé-je égarer [6] mes vœux, et mon esprit ?
   Je l'ai perdu. Les dieux m'en ont ravi l'usage.
   Œnone, la rougeur me couvre le visage,
   Je te laisse trop voir mes honteuses douleurs,
   Et mes yeux malgré moi se remplissent de pleurs.

---

1. Selon la légende, Pasiphaé, la mère de Phèdre, est fille d'Hélios, le Soleil. \ **2.** L'adieu au soleil constitue un motif tragique : voir Sophocle (496-406 av. J.-C.), *Œdipe Roi*, v. 1183. \ **3.** *Cruelle* : voir lexique, p. 175. \ **4.** *Funeste* : du latin *funus* (« les funérailles, la mort »), cet adjectif qualifie dans des emplois très variés ce qui est relatif à la mort : est *funeste* ce qui menace de mort, ce qui cause la mort, ce qui, plus largement, comporte une idée de mort. En témoigne le *Dictionnaire de l'Académie* (1694) qui définit le mot en ces termes : « malheureux, sinistre, qui porte la calamité et la désolation avec soi ». \ **5.** *Carrière* : « lieu fermé de barrières et disposé pour les courses » (*Dictionnaire* de Littré). \ **6.** *Égarer* : « laisser errer son esprit » (*Dictionnaire* de Littré). La langue classique peut ne pas exprimer le pronom réfléchi devant un infinitif régi par un autre verbe. Selon l'orthographe de l'époque, Racine écrit « laissay », forme qui peut s'interpréter comme un présent mais aussi comme un passé.

ŒNONE

Ah ! s'il vous faut rougir, rougissez d'un silence
Qui de vos maux encore aigrit[1] la violence.
Rebelle à tous nos soins[2], sourde à tous nos discours,
Voulez-vous sans pitié laisser finir vos jours ?
Quelle fureur[3] les borne au milieu de leur course ?
190 Quel charme[4] ou quel poison[5] en a tari la source ?
Les ombres par trois fois ont obscurci les cieux,
Depuis que le sommeil n'est entré dans vos yeux,
Et le jour a trois fois chassé la nuit obscure,
Depuis que votre corps languit sans nourriture.
À quel affreux dessein vous laissez-vous tenter ?
De quel droit sur vous-même osez-vous attenter[6] ?
Vous offensez les dieux auteurs de votre vie.
Vous trahissez l'époux à qui la foi[7] vous lie,
Vous trahissez enfin vos enfants malheureux,
200 Que vous précipitez sous un joug[8] rigoureux.
Songez qu'un même jour leur ravira leur mère,
Et rendra l'espérance au fils de l'étrangère,

---

1. *Aigrir* : « se dit figurément et signifie irriter, augmenter le mal » (*Dictionnaire de l'Académie*, 1694). \ **2.** *Soins* : attentions que l'on a pour quelqu'un, marques d'attachement, sollicitude. *Soin* possède au XVIIᵉ siècle une plus grande étendue sémantique qu'en français moderne. \ **3.** *Fureur* : du latin *furor*, qui signifie « délire, folie, égarement, frénésie », et qui peut aussi particulièrement désigner la passion folle ou la possession inspirée par un dieu. Au XVIIᵉ siècle, la *fureur* se dit toujours de la folie furieuse, « emportement violent causé par un dérèglement d'esprit et de la raison » mais aussi « en morale, de la colère » et plus largement « de toutes les passions qui nous font agir avec de grands emportements », ainsi que « des mouvements violents de l'âme, des enthousiasmes [*i. e.* des possessions divines] » (*Dictionnaire de Furetière*, 1690). \ **4.** *Charme* : voir lexique, p. 175. \ **5.** *Poison :* le « charme » que le jeu de l'étymologie relie à la déesse Vénus est le philtre d'amour, autrement dit, en latin, le *venenum*, terme qui donne en français un synonyme de *poison*, à savoir le mot « venin » (vers 1639). \ **6.** Le français moderne dirait « attenter à » et non « sur ». \ **7.** *Foi* : engagement conjugal. \ **8.** *Joug* : au sens figuré, « dépendance, servitude, soumission ». L'argument est également présent dans la bouche de la nourrice dans la tragédie d'Euripide.

À ce fier ennemi de vous, de votre sang[1],
Ce fils qu'une Amazone a porté dans son flanc,
Cet Hippolyte...

PHÈDRE

Ah dieux !

ŒNONE

Ce reproche vous touche.

PHÈDRE

Malheureuse, quel nom est sorti de ta bouche ?

ŒNONE

Hé bien, votre colère éclate avec raison.
J'aime à vous voir frémir à ce funeste[2] nom.
Vivez donc. Que l'amour, le devoir vous excite[3].
210 Vivez, ne souffrez pas que le fils d'une Scythe[4],
Accablant vos enfants d'un empire[5] odieux,
Commande au plus beau sang[6] de la Grèce, et des dieux.
Mais ne différez point, chaque moment vous tue.
Réparez promptement votre force abattue,
Tandis que de vos jours prêts à[7] se consumer
Le flambeau dure encore, et peut se rallumer.

---

1. *Sang* : voir lexique, p. 175. \ 2. *Funeste* : voir lexique, p. 175. \ 3. *Exciter* : « animer, encourager » (*Dictionnaire de l'Académie*, 1694). On note l'accord du verbe au singulier, fréquent au XVIIᵉ siècle en cas de coordination ou de juxtaposition. \ 4. *Scythe* : le terme désigne avec imprécision les nomades des steppes eurasiennes. Selon l'historien grec Hérodote (vers 484-vers 425 av. J.-C.), les Scythes et les Amazones auraient une descendance commune. Le Scythe incarne aussi le type de l'homme barbare, grossier, ou encore indomptable. \ 5. *Empire* : « commandement, puissance, autorité » (*Dictionnaire de l'Académie*, 1694). \ 6. *Sang* : voir lexique, p. 175. \ 7. *Prêts à* : sur le point de, près de. La langue du XVIIᵉ siècle confond « prêt à » et « près de ».

PHÈDRE

J'en ai trop prolongé la coupable durée.

ŒNONE

Quoi ? de quelques remords êtes-vous déchirée ?
Quel crime a pu produire un trouble si pressant[1] ?
220 Vos mains n'ont point trempé dans le sang innocent ?

PHÈDRE

Grâces au ciel[2], mes mains ne sont point criminelles.
Plût aux dieux que mon cœur fût innocent comme elles !

ŒNONE

Et quel affreux projet avez-vous enfanté,
Dont votre cœur encor[3] doive être épouvanté ?

PHÈDRE

Je t'en ai dit assez. Épargne-moi le reste.
Je meurs, pour ne point faire un aveu si funeste[4].

ŒNONE

Mourez donc, et gardez un silence inhumain,
Mais pour fermer vos yeux cherchez une autre main.
Quoiqu'il vous reste à peine une faible lumière[5],
230 Mon âme chez les morts descendra la première.
Mille chemins ouverts y conduisent toujours,
Et ma juste douleur choisira les plus courts.

---

1. *Pressant* : accablant, oppressant, angoissant. \ 2. On écrit « *grâce à Dieu,* ou *grâces à Dieu,* pour dire par la grâce de Dieu » (*Dictionnaire de l'Académie,* 1694). \ 3. *Encor* : licence poétique usuelle pour « encore », rendue nécessaire par les règles de la prosodie. Le *Dictionnaire* de Richelet (1680) précise que cette licence est admise « en vers, surtout à la fin du vers, et au repos [*i. e.* à la césure] des vers alexandrins ». \ 4. *Funeste* : voir lexique, p. 175. \ 5. *Lumière* : « ce mot au figuré signifie *la vie* » (*Dictionnaire* de Richelet, 1680).

Cruelle [1], quand ma foi [2] vous a-t-elle déçue [3] ?
Songez-vous qu'en naissant [4] mes bras vous ont reçue ?
Mon pays, mes enfants, pour vous j'ai tout quitté.
Réserviez-vous ce prix à ma fidélité ?

PHÈDRE

Quel fruit espères-tu de tant de violence ?
Tu frémiras d'horreur [5] si je romps le silence.

ŒNONE

Et que me direz-vous, qui ne cède, grands dieux !
240 À l'horreur de vous voir expirer à mes yeux ?

PHÈDRE

Quand tu sauras mon crime, et le sort qui m'accable,
Je n'en mourrai pas moins, j'en mourrai plus coupable.

ŒNONE

Madame, au nom des pleurs que pour vous j'ai versés,
Par vos faibles genoux que je tiens embrassés [6],
Délivrez mon esprit de ce funeste doute [7].

PHÈDRE

Tu le veux. Lève-toi.

---

1. *Cruelle* : voir lexique, p. 175. \ **2.** *Foi* : fidélité, loyauté. *Foi* et *fidélité* appartiennent à la même famille étymologique. \ **3.** *Décevoir* : « tromper » (*Dictionnaire de l'Académie*, 1694). \ **4.** *En naissant* : le gérondif ne se rapporte pas au sujet de la proposition à laquelle il appartient, contrairement à la règle moderne que réclament au XVIIᵉ siècle les grammairiens et qui s'impose à partir du XVIIIᵉ siècle. \ **5.** *Horreur* : appartient au lexique racinien de la pièce. *Horrere*, en latin, possède d'abord le sens physique de « se dresser, se hérisser », en particulier en parlant des poils et des cheveux qui se hérissent sous l'effroi et l'horreur, d'où le sens de « craindre » et d'« avoir horreur de ». Cette valeur étymologique est exprimée par le vers 1268 (voir aussi le vers 1512). Ainsi l'*horreur* est à la fois un sentiment de répulsion très fort et la manifestation physique de ce sentiment. \ **6.** *Par vos faibles genoux que je tiens embrassés* : geste antique de supplication encore bien vivant dans la culture du XVIIᵉ siècle. \ **7.** *Doute* : peut avoir le sens d'incertitude mais également désigner la crainte, le soupçon.

ŒNONE

Parlez. Je vous écoute.

PHÈDRE

Ciel ! que lui vais-je dire[1] ! Et par où commencer ?

ŒNONE

Par de vaines frayeurs cessez de m'offenser[2].

PHÈDRE

Ô haine de Vénus[3] ! Ô fatale[4] colère !
250 Dans quels égarements l'amour jeta ma mère !

ŒNONE

Oublions-les, Madame. Et qu'à tout l'avenir
Un silence éternel cache ce souvenir.

PHÈDRE

Ariane ma sœur ! De quel amour blessée,
Vous mourûtes aux bords où vous fûtes laissée[5] !

ŒNONE

Que faites-vous, Madame ? Et quel mortel ennui[6]
Contre tout votre sang[7] vous anime aujourd'hui ?

---

1. Dans les éditions de 1687 et 1697, la proposition est une interrogative. \ 2. *Offenser* : faire offense mais aussi blesser, faire du mal. \ 3. *Vénus* : voir lexique, p. 185. \ 4. *Fatale* : voir lexique, p. 175. \ 5. Dans *les Héroïdes* (IX), le poète latin Ovide compose une lettre fictive d'Ariane à Thésée qui l'a abandonnée durant le voyage de retour de la Crète à Athènes : sur l'île de Naxos, la jeune femme, désespérée, attend la mort. Selon la légende, Dionysos (Bacchus) arrive ensuite sur l'île, découvre Ariane, l'épouse et l'emmène sur l'Olympe. Voir également Catulle, LXIV. Une autre légende, rapportée par Homère (VIIᵉ siècle av. J.-C.) dans l'*Odyssée* (XI, v. 321-325) et suivie par Euripide dans son *Hippolyte* (v. 339), rapporte qu'à l'inverse, Ariane trahit l'amour de Dionysos en suivant Thésée et que le dieu se vengea par l'intermédiaire d'une flèche lancée par Artémis, qui tua la jeune fille à Naxos. Dans les éditions de 1687 et 1697, la proposition est une interrogative. \ 6. *Ennui* : au XVIIᵉ siècle, ce terme possède encore un sens très fort, lié à l'étymologie du verbe *ennuyer*, dont il dérive, à savoir l'expression latine *in odio esse*, qui signifie « être un objet de haine ». Outre le sens de « lassitude, langueur, fatigue d'esprit, causée par une chose qui déplaît par elle-même, ou par sa durée, ou par la disposition dans laquelle on se trouve » (*Dictionnaire de l'Académie*, 1694), *ennui* désigne le tourment, le chagrin, le désespoir. \ 7. *Sang* : voir lexique, p. 175.

PHÈDRE

Puisque Vénus le veut, de ce sang déplorable[1]
Je péris la dernière, et la plus misérable[2].

ŒNONE

Aimez-vous ?

PHÈDRE

De l'amour j'ai toutes les fureurs[3].

ŒNONE

260 Pour qui ?

PHÈDRE

Tu vas ouïr le comble des horreurs.
J'aime… à ce nom fatal[4] je tremble, je frissonne[5].
J'aime…

ŒNONE

Qui ?

PHÈDRE

Tu connais ce fils de l'Amazone,
Ce prince si longtemps par moi-même opprimé[6].

---

1. *Déplorable* : « qui mérite d'être déploré, qui est digne de compassion, de pitié » (*Dictionnaire de l'Académie*, 1694). À rapprocher de *pleurer*, qui appartient à la même famille étymologique. Chez Euripide, Phèdre évoque également dans trois répliques successives l'amour funeste de sa mère, de sa sœur, et le sien (voir *Hippolyte porte-couronne*, v. 337-341). \ **2.** *Misérable* : malheureux. Selon le *Dictionnaire* de Furetière (1690), *misérable* se dit de « qui est dans la douleur, dans la pauvreté, dans l'affliction ou dans l'oppression » et, par conséquent, de qui est digne de pitié : « *Aristote dit que le vrai sujet de la tragédie, c'est l'horrible et le misérable*, c'est-à-dire ce qui donne [*i. e.* inspire] de l'horreur ou qui attire de la compassion. » Le mot peut aussi se prendre en un sens défavorable, « pour exagérer un mépris ». Le vers imite la parole d'Antigone au seuil de son tombeau, dans la tragédie éponyme de Sophocle.\ **3.** *Fureurs* : voir lexique, p. 175. \ **4.** *Fatal* : voir lexique, p. 175. \ **5.** *Je tremble, je frissonne* : manifestation de la fièvre amoureuse mais aussi de l'horreur. En effet, *horrere* peut signifier en latin « trembler » et « frissonner ». De fait, la rime de « fureurs » et d'« horreurs » unit étroitement la passion et la répulsion qu'elle inspire.\ **6.** *Opprimé* : voir lexique, p. 175.

ŒNONE

Hippolyte[1] ? Grands dieux !

PHÈDRE

C'est toi qui l'as nommé[2].

ŒNONE

Juste ciel ! Tout mon sang dans mes veines se glace.
Ô désespoir ! Ô crime ! Ô déplorable race[3] !
Voyage infortuné ! Rivage malheureux,
Fallait-il approcher de tes bords dangereux ?

PHÈDRE

Mon mal vient de plus loin. À peine au fils d'Égée,
270 Sous les lois de l'hymen[4] je m'étais engagée,
Mon repos, mon bonheur semblait être affermi[5],
Athènes me montra mon superbe ennemi[6].
Je le vis, je rougis, je pâlis à sa vue.
Un trouble s'éleva dans mon âme éperdue[7].
Mes yeux ne voyaient plus, je ne pouvais parler,
Je sentis tout mon corps et transir[8], et brûler[9].

---

1. Les éditions de 1687 et 1697 transforment cette interrogation en exclamation. \ **2.** Même hémistiche dans la bouche de Phèdre dans l'*Hippolyte* (1645) de Gilbert (voir I, 2, v. 131). Chez Euripide, Phèdre répugne de la même manière à nommer l'objet de sa passion. \ **3.** *Race* : « lignée, lignage, extraction, tous ceux qui viennent d'une même famille » (*Dictionnaire de l'Académie*, 1694). \ **4.** *Hymen* : voir lexique, p. 175. \ **5.** Sur l'accord du verbe, voir note 3, p. 30. \ **6.** *Superbe ennemi* : fier ennemi, mais également, par syllepse (procédé consistant à doter un mot d'une double signification) et antiphrase, fier objet de mon amour. On notera la liberté de la construction grammaticale des vers 269-272. \ **7.** *Éperdue* : égarée, profondément troublée, en particulier par la passion amoureuse. \ **8.** *Transir* : « pénétrer et engourdir de froid. [...] Il se dit aussi de l'effet que la peur et l'affliction font quelquefois » (*Dictionnaire de l'Académie*, 1694). \ **9.** Les vers 273-276 imitent l'« Ode à l'aimée » de la poétesse grecque Sapho (VIIe-VIe siècle), transmise par le *Traité du sublime* du Pseudo-Longin (Ier siècle), traduit en 1674 par Boileau (1636-1711), ami de Racine. Dans ce traité (chap. VIII), le poème de Sapho, déjà imité notamment par le poète latin Catulle ou par Ronsard (1525-1585), est considéré comme un exemple de sublime et un modèle d'écriture de la passion : « En un mot on dirait qu'elle n'est pas éprise d'une simple passion, mais que son âme est un rendez-vous de toutes les passions. » Voir dossier, p. 165.

Je reconnus Vénus, et ses feux redoutables,

D'un sang qu'elle poursuit tourments inévitables.

Par des vœux assidus je crus les détourner,

280 Je lui bâtis un temple [1], et pris soin de l'orner.

De victimes moi-même à toute heure entourée,

Je cherchais dans leurs flancs ma raison égarée.

D'un incurable amour remèdes impuissants [2] !

En vain sur les autels ma main brûlait l'encens.

Quand ma bouche implorait le nom de la déesse,

J'adorais Hippolyte, et le voyant sans cesse,

Même au pied des autels que je faisais fumer,

J'offrais tout à ce dieu, que je n'osais nommer.

Je l'évitais partout. Ô comble de misère !

290 Mes yeux le retrouvaient dans les traits de son père.

Contre moi-même enfin j'osai me révolter.

J'excitai mon courage à le persécuter.

Pour bannir l'ennemi dont j'étais idolâtre,

J'affectai les chagrins [3] d'une injuste marâtre [4],

Je pressai son exil, et mes cris [5] éternels

L'arrachèrent du sein, et des bras paternels.

Je respirais, Œnone. Et depuis son absence

---

1. Dans le prologue de l'*Hippolyte* (v. 29-33) d'Euripide, la déesse elle-même évoque ce temple voulu par Phèdre. \ 2. Le comportement de Phèdre, cherchant vainement à apaiser sa passion dans des sacrifices et par les présages que les Anciens lisaient dans les entrailles des animaux, rappelle celui de la reine Didon, amoureuse du héros Énée, dans l'*Énéide* (IV, v. 63-67) du poète latin Virgile (70-19 av. J.-C.) : « Elle dédia cette journée par les offrandes de ses dons : et se penchant sur les poitrines ouvertes des animaux égorgés, elle consultait leurs entrailles qui étaient encore palpitantes. Ô faiblesse de l'entendement des devins, de qui les pensées sont si sujettes à se tromper ! Que servent les vœux et les temples à une âme insensée, si cependant une tendre flamme s'allume dans ses os, et si une plaie secrète s'envenime en son cœur ! » (trad. M. de Marolles, 1662). \ 3. *Chagrins* : humeur mauvaise, malveillante. \ 4. *Marâtre* : voir lexique, p. 175. \ 5. Cri : « gémissement, plainte, accusation » (*Dictionnaire* de Littré).

Mes jours moins agités coulaient dans l'innocence.
Soumise à mon époux, et cachant mes ennuis [1],
300 De son fatal hymen je cultivais les fruits [2].
Vaines précautions ! Cruelle destinée !
Par mon époux lui-même à Trézène amenée
J'ai revu l'ennemi que j'avais éloigné.
Ma blessure trop vive aussitôt a saigné.
Ce n'est plus une ardeur dans mes veines cachée [3].
C'est Vénus toute [4] entière à sa proie attachée [5].
J'ai conçu pour mon crime une juste terreur.
J'ai pris la vie en haine, et ma flamme en horreur.
Je voulais en mourant prendre soin de ma gloire [6],
310 Et dérober au jour une flamme si noire.
Je n'ai pu soutenir tes larmes, tes combats.
Je t'ai tout avoué, je ne m'en repens pas,
Pourvu que de ma mort respectant les approches
Tu ne m'affliges plus par d'injustes reproches,
Et que tes vains secours cessent de rappeler
Un reste de chaleur, tout prêt à [7] s'exhaler.

---

1. *Ennuis* : voir lexique, p. 175. \ **2.** *Je cultivais les fruits* : le terme *fruit* désigne « l'enfant déjà né, par rapport au père et à la mère ; en cet emploi il reçoit le pluriel » (*Dictionnaire* de Littré). *Cultiver* est à prendre au sens de « former, développer » (*Dictionnaire* de Littré). \ **3.** Souvenir de l'ouverture du chant IV de l'*Énéide* de Virgile : « La reine agitée depuis longtemps d'une violente inquiétude, nourrissait sa plaie dans ses veines, et sentait son âme atteinte d'un feu secret » (trad. M. de Marolles, 1662). \ **4.** Au XVIIᵉ siècle, *tout*, employé comme adverbe, est variable en genre et en nombre. Il le demeure encore dans certains cas. Dans le cas présent, le français moderne commanderait « tout entière ». \ **5.** Souvenir du poète latin Horace (65-8 av. J.-C.) : « *In me tota ruens Venus* » (*Odes*, I, XIX, v. 9 : « Sur moi Vénus fondant tout entière »). \ **6.** *Gloire* : honneur. \ **7.** *Prêt à* : voir note 7, p. 30.

Scène 4

PHÈDRE, ŒNONE, PANOPE

PANOPE

Je voudrais vous cacher une triste[1] nouvelle,
Madame. Mais il faut que je vous la révèle.
La mort vous a ravi votre invincible époux[2],
320 Et ce malheur n'est plus ignoré que de vous.

ŒNONE

Panope, que dis-tu ?

PANOPE

Que la reine abusée[3]
En vain demande au ciel le retour de Thésée,
Et que par des vaisseaux arrivés dans le port
Hippolyte son fils vient d'apprendre sa mort.

PHÈDRE

Ciel !

PANOPE

Pour le choix d'un maître Athènes se partage.
Au prince votre fils l'un donne son suffrage,
Madame, et de l'État l'autre oubliant les lois
Au fils de l'étrangère ose donner sa voix.
On dit même qu'au trône une brigue[4] insolente

---

1. Dans la langue classique, *triste* possède encore un sens fort, lié à son étymologie : en latin, *tristis* signifie « de mauvais augure, sinistre, funeste » et par extension « funèbre ». Appliqué à des choses, il signifie, au XVIIᵉ siècle, « funeste, redoutable, lugubre ». \ **2.** La tragédie d'Euripide n'utilise pas ce ressort dramatique. Dans la tragédie latine de Sénèque (*Phèdre*, III, 1), Thésée séjourne quatre ans aux Enfers jusqu'à ce qu'Hercule l'en tire, en même temps que Cerbère. Pour la version de Plutarque que Racine, dans sa préface, dit avoir suivie, voir note 8, p. 13. \ **3.** *Abusée* : voir lexique, p. 175. \ **4.** *Brigue* : faction, parti qui manœuvre et intrigue ; cabale.

330 Veut placer Aricie, et le sang de Pallante[1].
J'ai cru de ce péril vous devoir avertir.
Déjà même Hippolyte est tout prêt à partir.
Et l'on craint, s'il paraît dans ce nouvel[2] orage,
Qu'il n'entraîne après lui tout un peuple volage.

ŒNONE

Panope, c'est assez. La reine qui t'entend,
Ne négligera point cet avis important.

Scène 5

PHÈDRE, ŒNONE

ŒNONE

Madame, je cessais de vous presser de vivre.
Déjà même au tombeau je songeais à vous suivre.
Pour vous en détourner je n'avais plus de voix.
340 Mais ce nouveau[3] malheur vous prescrit d'autres lois.
Votre fortune[4] change et prend une autre face.
Le roi n'est plus, Madame, il faut prendre sa place.
Sa mort vous laisse un fils à qui vous vous devez,
Esclave, s'il vous perd, et roi, si vous vivez.
Sur qui dans son malheur voulez-vous qu'il s'appuie ?
Ses larmes n'auront plus de main qui les essuie,
Et ses cris innocents portés jusques[5] aux dieux,

---

1. *Pallante* : voir lexique, p. 185. \ **2.** *Nouvel* : imprévu, soudain. \ **3.** *Nouveau* : note précédente. \ **4.** *Fortune* « se [dit] aussi pour l'état, la condition où l'on est » (*Dictionnaire de l'Académie*, 1694). Chez les Latins, la déesse Fortune est l'allégorie du hasard et distribue avec inconstance à chacun son lot de bonheur et de malheur, réglant la chance et la malchance. \ **5.** *Jusques* : la régularité de l'alexandrin commande l'ajout du -*s*, selon une licence poétique fréquente.

Iront contre sa mère irriter ses aïeux.

Vivez, vous n'avez plus de reproche à vous faire.

350 Votre flamme devient une flamme ordinaire.

Thésée en expirant vient de rompre les nœuds

Qui faisaient tout le crime et l'horreur[1] de vos feux.

Hippolyte pour vous devient moins redoutable,

Et vous pouvez le voir sans vous rendre coupable.

Peut-être convaincu de votre aversion

Il va donner un chef à la sédition[2].

Détrompez son erreur, fléchissez son courage[3].

Roi de ces bords heureux[4] Trézène est son partage.

Mais il sait que les lois donnent à votre fils

360 Les superbes[5] remparts que Minerve a bâtis[6].

Vous avez l'un et l'autre une juste[7] ennemie.

Unissez-vous tous deux pour combattre Aricie.

PHÈDRE

Hé bien ! À tes conseils je me laisse entraîner.

Vivons, si vers la vie on peut me ramener,

Et si l'amour d'un fils, en ce moment funeste[8],

De mes faibles esprits peut ranimer le reste.

Fin du premier acte.

---

1. *Horreur* : voir lexique, p. 175. Œnone suggère insidieusement que le « crime » de Phèdre relève de l'adultère et non de l'inceste. \ 2. *Sédition* : « émotion populaire, soulèvement contre la puissance légitime » (*Dictionnaire de l'Académie*, 1694). \ 3. *Courage* : voir lexique, p. 175. \ 4. Construction elliptique. « Roi de ces bords heureux » est en apposition à *lui*, pronom sous-entendu dans le possessif « son ». Pour *bords*, voir lexique, p. 175. \ 5. *Superbe* : élevé, d'une hauteur imposante, mais aussi magnifique, voire orgueilleux. \ 6. *Les superbes remparts que Minerve a bâtis* : la périphrase, fondée sur la métonymie, désigne Athènes, cité patronnée et dénommée selon la légende par Athéna – ou Pallas ou Minerve, puisque tels sont ses autres noms –, déesse de la sagesse mais aussi de la guerre. Dans *Les Euménides* (v. 683-708), dernier volet de *L'Orestie*, du tragique grec Eschyle (525-456 av. J.-C.), Athéna fonde le tribunal de l'Aréopage, qu'elle présente comme un « rempart » inégalable à aucun autre. La rime atteste une prononciation [fi] pour *fils*, prononciation encore attestée par Littré au XIXe siècle, et distincte de la prononciation moderne, fondée sur l'orthographe (voir acte II, note 2, p. 43). \ 7. *Juste* : légitime, fondé. \ 8. *Funeste* : voir lexique, p. 175.

Acte II

Scène première

ARICIE

Hippolyte demande à me voir en ce lieu ?
Hippolyte me cherche, et veut me dire adieu ?
Ismène, dis-tu vrai ? N'es-tu point abusée[1] ?

ISMÈNE

370 C'est le premier effet de la mort de Thésée.
Préparez-vous, Madame, à voir de tous côtés
Voler vers vous les cœurs par Thésée écartés.
Aricie à la fin[2] de son sort est maîtresse,
Et bientôt à ses pieds verra toute la Grèce.

ARICIE

Ce n'est donc point, Ismène, un bruit mal affermi[3] ?
Je cesse d'être esclave, et n'ai plus d'ennemi ?

ISMÈNE

Non, Madame, les dieux ne vous sont plus contraires,
Et Thésée a rejoint les mânes[4] de vos frères.

---

1. *Abusée* : voir lexique, p. 175. \ **2.** *À la fin* : enfin. \ **3.** *Un bruit mal affermi* est une rumeur mal assurée, une nouvelle sans grand fondement. Voir également lexique, p. 175. \ **4.** *Mânes* : « substantif masculin pluriel. Nom que les Anciens donnaient à l'ombre, à l'âme d'un Mort » (*Dictionnaire de l'Académie*, 1694). Sur les frères d'Aricie, rivaux politiques massacrés par Thésée, voir lexique, p. 185.

ARICIE

Dit-on quelle aventure[1] a terminé ses jours ?

ISMÈNE

380 On sème de sa mort d'incroyables discours[2].
On dit que ravisseur d'une amante nouvelle
Les flots ont englouti cet époux infidèle.
On dit même, et ce bruit[3] est partout répandu,
Qu'avec Pirithoüs[4] aux enfers descendu
Il a vu le Cocyte[5] et les rivages sombres,
Et s'est montré vivant aux infernales ombres[6],
Mais qu'il n'a pu sortir de ce triste[7] séjour,
Et repasser les bords[8] qu'on passe sans retour.

ARICIE

Croirai-je qu'un mortel avant sa dernière heure
390 Peut pénétrer des morts la profonde demeure ?
Quel charme[9] l'attirait sur ces bords redoutés ?

ISMÈNE

Thésée est mort, Madame, et vous seule en doutez.
Athènes en gémit, Trézène en est instruite,
Et déjà pour son roi reconnaît Hippolyte.

---

1. *Aventure* : « accident, ce qui arrive inopinément » (*Dictionnaire de l'Académie*, 1694). \ **2.** *Discours* : « dans le style élevé, récit, histoire » (*Dictionnaire* de Littré). *De sa mort* : sur sa mort (*de* hérite de son sens latin, « *de* + ablatif » signifiant « au sujet de »). \ **3.** *Bruit* : voir lexique, p. 175. \ **4.** *Pirithoüs* : voir lexique, p. 185. \ **5.** Le *Cocyte*, fleuve d'Épire, est, comme l'Achéron (voir lexique, p. 185), un fleuve des Enfers. La légende veut que sur ses rives erraient les âmes privées de sépulture. \ **6.** *Ombre* : « en termes de Poésie, et dans le langage des anciens Païens se prend pour l'âme séparée du corps » (*Dictionnaire de l'Académie*, 1694). \ **7.** *Triste* : voir lexique, p. 175. \ **8.** *Bords* : voir lexique, p. 175. Le vers traduit « *ripam irremeabilis undae* », formule utilisée par Virgile dans l'*Énéide* (IV, v. 425), à propos de la descente aux Enfers d'Énée. \ **9.** *Charme* : voir lexique, p. 175.

Phèdre dans ce palais tremblante[1] pour son fils,
De ses amis troublés demande les avis[2].

ARICIE

Et tu crois que pour moi plus humain que son père
Hippolyte rendra ma chaîne plus légère ?
Qu'il plaindra mes malheurs ?

ISMÈNE

Madame, je le croi[3].

ARICIE

400 L'insensible Hippolyte est-il connu de toi ?
Sur quel frivole espoir penses-tu qu'il me plaigne,
Et respecte en moi seule un sexe qu'il dédaigne ?
Tu vois depuis quel temps il évite nos pas,
Et cherche tous les lieux où nous ne sommes pas.

ISMÈNE

Je sais de ses froideurs tout ce que l'on récite.
Mais j'ai vu près de vous ce superbe[4] Hippolyte.
Et même, en le voyant, le bruit de sa fierté[5]
A redoublé pour lui ma curiosité.
Sa présence[6] à ce bruit n'a point paru répondre.
410 Dès vos premiers regards, je l'ai vu se confondre[7].
Ses yeux, qui vainement voulaient vous éviter,

1. À la différence du français moderne, la langue du XVIIᵉ siècle accepte l'accord du participe présent. \ 2. La rime atteste une prononciation [fi] pour *fils*, prononciation encore attestée par Littré au XIXᵉ siècle, et distincte de la moderne, fondée sur l'orthographe. Voir note 6, p. 40. \ 3. *Je le croi* : voir note 1, p. 27. \ 4. *Superbe* : voir lexique, p. 175. \ 5. *Le bruit de sa fierté* : sa réputation d'être farouche répugnant à céder aux passions et à l'amour. *Fierté* : « se dit de l'état de l'âme d'une femme qui ne se rend pas à l'amour » (*Dictionnaire* de Littré). \ 6. *Présence* : aspect. C'est-à-dire que ni son air, ni ses manières ne semblaient correspondre à sa réputation. \ 7. *Se confondre* : se troubler.

Déjà pleins de langueur ne pouvaient vous quitter.
Le nom d'amant peut-être offense son courage [1].
Mais il en a les yeux, s'il n'en a le langage.

ARICIE

Que mon cœur, chère Ismène, écoute avidement
Un discours qui peut-être a peu de fondement !
Ô toi ! qui me connais, te semblait-il croyable
Que le triste [2] jouet d'un sort impitoyable,
Un cœur toujours nourri d'amertume et de pleurs,
420 Dût connaître l'amour, et ses folles douleurs ?
Reste du sang [3] d'un roi, noble fils de la Terre [4],
Je suis seule échappée [5] aux fureurs [6] de la guerre,
J'ai perdu dans la fleur de leur jeune saison
Six frères [7], quel espoir d'une illustre maison [8] !
Le fer moissonna tout, et la terre humectée
But à regret le sang des neveux [9] d'Érechthée.
Tu sais, depuis leur mort, quelle sévère loi

---

1. *Courage* signifie d'abord le « cœur », siège du sentiment ou de la volonté, et désigne plus précisément au vers 413 « l'ensemble des passions que l'on porte au cœur » (*Dictionnaire* de Littré), la « disposition de l'âme avec laquelle elle se porte à entreprendre ou à repousser, ou à souffrir quelque chose » (*Dictionnaire de l'Académie*, 1694). \ 2. *Triste* : voir lexique, p. 175. \ 3. *Sang* : voir lexique, p. 175. Les Pallantides, frères d'Aricie, ont été massacrés par Thésée. \ 4. Différentes légendes sont relatives à *Érechthée*, ancêtre des Pallantides, qu'Aricie nomme au vers 426. Confondu à l'origine avec Érichthonios, « fils de la Terre », ce héros est lié aux mythes fondateurs de l'Attique et passe pour l'héritier de Cécrops, premier roi de ce territoire. Selon la tradition retenue par Plutarque dans la *Vie de Thésée* (XIII), Égée, le père de Thésée, aurait été adopté par le roi Pandion, ce qui fondait les prétentions au sceptre athénien de la famille de Pallante (Pallas), fils de Pandion par le sang. Voir lexique, p. 185. \ 5. Pour les verbes intransitifs, la concurrence entre les auxiliaires *être* et *avoir* est plus ouverte dans la langue classique qu'en français moderne. L'auxiliaire *avoir* met davantage en valeur l'idée d'action, l'auxiliaire *être* celle d'état, de résultat. \ 6. *Fureurs* : voir lexique, p. 175. \ 7. Cinquante, selon Plutarque dans la *Vie de Thésée*. \ 8. *Maison* : « se dit d'une race noble, d'une suite de gens illustres venus de la même souche, qui se sont signalés par leur valeur, ou par leurs emplois, ou par les grandes dignités qu'ils ont eues par leur naissance » (*Dictionnaire* de FURETIÈRE, 1690). \ 9. *Neveux* : « dans le genre sublime, et en poésie, pour dire la postérité, ceux qui viendront après nous » (*Dictionnaire de l'Académie*, 1694).

Défend à tous les Grecs de soupirer pour moi.

On craint que de la sœur les flammes téméraires

430 Ne raniment un jour la cendre de ses frères.

Mais tu sais bien aussi de quel œil dédaigneux

Je regardais ce soin [1] d'un vainqueur soupçonneux.

Tu sais que de tout temps à l'amour opposée,

Je rendais souvent grâce à l'injuste Thésée

Dont l'heureuse rigueur secondait mes mépris.

Mes yeux alors, mes yeux n'avaient pas vu son fils [2].

Non que par les yeux seuls lâchement enchantée [3],

J'aime en lui sa beauté, sa grâce tant vantée,

Présents dont la nature a voulu l'honorer,

440 Qu'il méprise lui-même, et qu'il semble ignorer.

J'aime, je prise en lui de plus nobles richesses,

Les vertus de son père, et non point les faiblesses.

J'aime, je l'avouerai, cet orgueil généreux [4]

Qui jamais n'a fléchi sous le joug [5] amoureux.

Phèdre en vain s'honorait des soupirs de Thésée.

Pour moi, je suis plus fière, et fuis la gloire aisée

D'arracher un hommage à mille autres offert,

Et d'entrer dans un cœur de toutes parts ouvert.

Mais de faire fléchir un courage [6] inflexible [7],

450 De porter la douleur dans une âme insensible,

1. *Soin* : voir lexique, p. 175. \ **2.** À propos de la rime, voir note 2, p. 43. \ **3.** *Lâchement enchantée* : *enchantée* relève du même champ sémantique que le mot « charme » (voir lexique, p. 175) et traduit la magie amoureuse de la beauté physique. *Lâchement* introduit la métaphore commune de l'amour comparé à la guerre. Comme Hippolyte, Aricie se montre « fière » (v. 446) et il lui paraît honteux de céder au sentiment amoureux. \ **4.** *Généreux* possède encore son sens étymologique : *generosus* signifie en latin « qui a de la naissance, bien né », d'où « noble (de naissance comme de sentiments) ». \ **5.** *Joug* : voir lexique, p. 175. \ **6.** *Courage* : voir lexique, p. 175. \ **7.** Souvenir probable d'une parole de la nourrice à Phèdre dans l'*Hippolyte* (1573) de Garnier : « Mais qui vous fléchira ce jeune homme inflexible ? »

D'enchaîner un captif de ses fers étonné[1],
Contre un joug qui lui plaît vainement mutiné[2] ;
C'est là ce que je veux, c'est là ce qui m'irrite[3].
Hercule à désarmer[4] coûtait moins qu'Hippolyte,
Et vaincu plus souvent, et plus tôt surmonté
Préparait moins de gloire aux yeux qui l'ont dompté.
Mais, chère Ismène, hélas ! quelle est mon imprudence !
On ne m'opposera que trop de résistance.
Tu m'entendras peut-être, humble dans mon ennui[5],
460 Gémir du même orgueil que j'admire aujourd'hui.
Hippolyte aimerait ? Par quel bonheur extrême
Aurais-je pu fléchir…

ISMÈNE
Vous l'entendrez lui-même.
Il vient à vous.

Scène 2

HIPPOLYTE, ARICIE, ISMÈNE

HIPPOLYTE
Madame, avant que de partir,
J'ai cru de votre sort vous devoir avertir.
Mon père ne vit plus. Ma juste[6] défiance

---

1. *Étonner* : voir lexique, p. 175. \ **2.** Seule la forme pronominale *se mutiner* demeure dans la langue moderne. La langue classique, en revanche, employait encore *mutiner* pour « jeter dans la révolte, soulever, irriter » (*Dictionnaire* de Littré). \ **3.** *Irriter* : voir lexique, p. 175. \ **4.** *Désarmer* est à prendre au sens figuré mais aussi au sens propre. Les représentations d'Hercule amoureux d'Omphale vont souvent de pair avec la peinture d'un héros dévirilisé. \ **5.** *Ennui* : voir lexique, p. 175. \ **6.** *Juste* : voir lexique, p. 175.

Présageait les raisons de sa trop longue absence.
La mort seule bornant ses travaux[1] éclatants
Pouvait à l'univers le cacher si longtemps.
Les dieux livrent enfin à la Parque homicide[2]
470 L'ami, le compagnon, le successeur d'Alcide[3].
Je crois que votre haine, épargnant ses vertus,
Écoute sans regret[4] ces noms qui lui sont dus.
Un espoir adoucit ma tristesse mortelle.
Je puis vous affranchir d'une austère tutelle.
Je révoque des lois dont j'ai plaint[5] la rigueur,
Vous pouvez disposer de vous, de votre cœur.
Et dans cette Trézène aujourd'hui mon partage,
De mon aïeul Pitthée[6] autrefois l'héritage,
Qui m'a sans balancer[7] reconnu pour son roi,
480 Je vous laisse aussi libre, et plus libre que moi.

ARICIE

Modérez des bontés dont l'excès m'embarrasse.
D'un soin si généreux[8] honorer ma disgrâce,
Seigneur, c'est me ranger, plus que vous ne pensez,
Sous ces austères lois, dont vous me dispensez.

---

1. *Travail* se dit au pluriel des « entreprises pénibles et glorieuses » (*Dictionnaire* de Littré). *Voir* les « travaux d'Hercule ». \ 2. Les trois *Parques* (ou Moires) sont les divinités incarnant le destin. Ces sœurs présidaient à la vie de chaque mortel, représentée par un fil, que Clotho filait, Lachésis enroulait et Atropos coupait en un geste « homicide ». \ 3. *Alcide* : Hercule. Voir lexique, p. 185. \ 4. *Regret* « signifie aussi quelquefois simplement, douleur, déplaisir, chagrin » (*Dictionnaire de l'Académie*, 1694). \ 5. *Plaindre* : déplorer. \ 6. Le vers peut s'interpréter de deux manières. Selon Plutarque, « Pitthée, aïeul maternel de Thésée, [...] fonda la petite ville de Trézène, et eut la réputation du plus savant et du plus sage homme qui fut en son temps » (*Vie de Thésée*, trad. J. Amyot [1559], éd. 1565). *Héritage* signifie alors « domaine, territoire », conformément à l'un de ses sens possibles au XVIIᵉ siècle. Mais la légende fait aussi de Pitthée le frère de Trézen, héros éponyme de la ville : c'est à lui que Pitthée aurait succédé comme roi. \ 7. *Sans balancer* : sans hésiter. \ 8. *Soin* : voir lexique, p. 175. L'adjectif *généreux* exprime la noblesse d'âme qu'Aricie reconnaît ici à Hippolyte.

HIPPOLYTE

Du choix d'un successeur Athènes incertaine,
Parle de vous, me nomme, et le fils de la reine.

ARICIE

De moi, Seigneur ?

HIPPOLYTE

Je sais, sans vouloir me flatter[1],
Qu'une superbe[2] loi semble me rejeter.
La Grèce me reproche une mère étrangère[3].
490 Mais si pour concurrent je n'avais que mon frère,
Madame, j'ai sur lui de véritables droits
Que je saurais sauver du caprice des lois[4].
Un frein plus légitime arrête mon audace.
Je vous cède, ou plutôt je vous rends une place,
Un sceptre, que jadis vos aïeux ont reçu
De ce fameux mortel que la terre a conçu[5].
L'adoption le mit entre les mains d'Égée[6].
Athènes par mon père accrue, et protégée[7]

---

1. *Flatter* « signifie aussi tromper en déguisant la vérité ou par faiblesse, ou par une mauvaise crainte de déplaire » (*Dictionnaire de l'Académie*, 1694). \ 2. La *superbe* est un trait du personnage d'Hippolyte mais également d'Athènes, aux « superbes remparts » (v. 360). \ 3. Hippolyte est « fils de Thésée, et d'Antiope, reine des Amazones », comme le rappelle la liste des personnages. \ 4. Encore une fois, Racine use d'une syntaxe souple et audacieuse. \ 5. *Ce fameux mortel que la terre a conçu* : il s'agit d'Érechthée ; voir note 4, p. 44 et lexique, p. 185. \ 6. Sur Égée, fils adoptif de Pandion : voir note 4, p. 44. \ 7. « Au reste depuis la mort de son père Égée, il entreprit une chose grande à merveille : c'est qu'il assembla en une cité, et réduisit en un corps de ville les habitants de toute la province d'Attique, lesquels auparavant étaient épars en plusieurs bourgs, et à cette occasion malaisés à assembler, quand il était question de donner ordre à une chose concernant le bien public [...]. Au demeurant, afin de peupler sa ville encore davantage, il convia tous ceux qui y voudraient venir habiter, en leur offrant tous mêmes droits, et mêmes privilèges de bourgeoisie, que les [...] citoyens [d'origine] avaient [...] » Plutarque (*Vie de Thésée*, trad. J. Amyot [1513-1593], éd. 1565). Plutarque évoque également l'assaut que les Amazones livrèrent contre Athènes défendue par Thésée.

Reconnut avec joie un roi si généreux[1],
500 Et laissa dans l'oubli vos frères malheureux.
Athènes dans ses murs maintenant vous rappelle.
Assez elle a gémi d'une longue querelle,
Assez dans ses sillons votre sang[2] englouti
A fait fumer le champ dont il était sorti.
Trézène m'obéit. Les campagnes de Crète
Offrent au fils de Phèdre une riche retraite[3].
L'Attique est votre bien. Je pars, et vais pour vous
Réunir tous les vœux partagés entre nous.

ARICIE

De tout ce que j'entends étonnée[4] et confuse[5]
510 Je crains presque, je crains qu'un songe ne m'abuse[6].
Veillé-je ? Puis-je croire un semblable dessein[7] ?
Quel dieu, Seigneur, quel dieu l'a mis dans votre sein ?
Qu'à bon droit votre gloire en tous lieux est semée !
Et que la vérité passe[8] la renommée !
Vous-même en ma faveur vous voulez vous trahir[9] ?
N'était-ce pas assez de ne me point haïr[10] ?
Et d'avoir si longtemps pu défendre votre âme
De cette inimitié…

---

1. Thésée arrive à Athènes, paré de la gloire d'avoir débarrassé de ses nombreux brigands la route menant du Péloponnèse à la ville de Minerve (voir v. 79 et suiv.) Il se fait reconnaître comme fils d'Égée et « tout le peuple le re[çoit] à grande joie, pour le renom de sa prouesse » (Plutarque, *op. cit.*). *Généreux* : voir lexique, p. 175. \ **2.** C'est-à-dire le sang de votre lignée. Comme souvent, Racine use d'une syllepse, procédé qui consiste à employer un mot en le dotant, dans une même occurrence, de deux significations (le sens propre et le sens figuré, le plus souvent). \ **3.** *Retraite* : lieu où l'on se retire, c'est-à-dire en l'occurrence où l'on séjourne, mais aussi où l'on se réfugie, ou bien où l'on demeure caché. \ **4.** *Étonnée* : voir lexique, p. 175. \ **5.** *Confuse* : troublée, bouleversée. \ **6.** *Abuser* : lexique, p. 175. \ **7.** *Dessein* : voir lexique, p. 175. \ **8.** *Passer* : dépasser, surpasser. \ **9.** « *Se trahir soi-même,* pour dire agir contre ses propres intérêts » (*Dictionnaire de l'Académie,* 1694). \ **10.** *De ne me point haïr* : dans la langue classique, la place du pronom personnel complément d'un infinitif est susceptible de variations que ne connaît guère le français moderne. La négation composée peut encadrer le pronom, mais aussi, comme en français moderne, le précéder.

HIPPOLYTE

Moi, vous haïr, Madame ?

Avec quelques couleurs qu'on ait peint ma fierté [1],

520 Croit-on que dans ses flancs un monstre m'ait porté ?

Quelles sauvages mœurs, quelle haine endurcie

Pourrait [2], en vous voyant, n'être point adoucie ?

Ai-je pu résister au charme décevant [3]…

ARICIE

Quoi, Seigneur ?

HIPPOLYTE

Je me suis engagé trop avant.

Je vois que la raison cède à la violence [4].

Puisque j'ai commencé à rompre le silence,

Madame, il faut poursuivre. Il faut vous informer

D'un secret, que mon cœur ne peut plus renfermer.

Vous voyez devant vous un prince déplorable [5],

530 D'un téméraire orgueil exemple mémorable.

Moi, qui contre l'amour fièrement révolté,

Aux fers de ses captifs ai longtemps insulté [6],

Qui des faibles mortels déplorant les naufrages,

Pensais toujours du bord contempler les orages [7] ;

Asservi maintenant sous la commune loi,

---

1. *Fierté* : voir lexique, p. 175. \ **2.** Noter l'accord du verbe au singulier, fréquent au XVIIᵉ siècle, en cas de coordination ou de juxtaposition. \ **3.** *Charme décevant* : enchantement trompeur. \ **4.** C'est-à-dire la « violence » de l'amour qu'Hippolyte porte à Aricie. \ **5.** *Déplorable* : voir lexique, p. 175. \ **6.** *Insulter à* : « affliger quelqu'un qui est déjà affligé, lui reprocher sa misère, et s'en réjouir » (*Dictionnaire* de Furetière, 1690). \ **7.** La métaphore filée de la passion comme tempête marine (« orages ») provoquant la perte (« naufrages ») fait l'objet d'une mise en scène analogue dans le chant II du poème du Latin Lucrèce (Iᵉʳ siècle av. J.-C.), *De natura rerum* (*De la nature*). Elle sert dans ce texte une définition de la sagesse et de la philosophie : « La peine d'autrui sur la mer agitée par la tempête, est bien douce à voir du rivage où l'on est en sûreté […] » (II, v. 1-2 ; trad. M. de Marolles [1650], 2ᵈᵉ éd., 1659).

Par quel trouble me vois-je emporté loin de moi !

Un moment a vaincu mon audace imprudente.

Cette âme si superbe[1] est enfin dépendante.

Depuis près de six mois, honteux, désespéré,

540 Portant partout le trait[2] dont je suis déchiré,

Contre vous, contre moi vainement je m'éprouve[3].

Présente je vous fuis, absente je vous trouve.

Dans le fond des forêts votre image me suit.

La lumière du jour, les ombres de la nuit,

Tout retrace à mes yeux les charmes[4] que j'évite.

Tout vous livre à l'envi[5] le rebelle Hippolyte.

Moi-même pour tout fruit de mes soins[6] superflus,

Maintenant je me cherche, et ne me trouve plus.

Mon arc, mes javelots, mon char, tout m'importune.

550 Je ne me souviens plus des leçons de Neptune[7].

Mes seuls gémissements font retentir les bois,

Et mes coursiers oisifs ont oublié ma voix.

Peut-être le récit d'un amour si sauvage

Vous fait en m'écoutant rougir de votre ouvrage.

D'un cœur qui s'offre à vous quel farouche entretien !

Quel étrange captif pour un si beau lien !

Mais l'offrande à vos yeux en doit être plus chère.

Songez que je vous parle une langue étrangère,

Et ne rejetez pas des vœux[8] mal exprimés,

560 Qu'Hippolyte sans vous n'aurait jamais formés.

---

1. *Superbe* : voir lexique, p. 175. \ **2.** *Trait* : la flèche, en l'occurrence celle du dieu de l'amour, Cupidon (ou Éros). Souvenir possible de la description de Didon amoureuse dans l'*Énéide* (IV, v. 69-73) de Virgile. \ **3.** *S'éprouver* : « se mettre soi-même à l'épreuve » (*Dictionnaire* de Littré). \ **4.** *Charmes* : voir lexique, p. 175. \ **5.** *À l'envi* : « à qui mieux mieux » (*Dictionnaire* de Furetière, 1690). \ **6.** *Soin* : voir lexique, p. 175. \ **7.** *Neptune* : voir note du vers 131, p. 25. \ **8.** *Vœux* : voir lexique, p. 175.

Scène 3

HIPPOLYTE, ARICIE, THÉRAMÈNE, ISMÈNE

THÉRAMÈNE
Seigneur, la reine vient, et je l'ai devancée.
Elle vous cherche.

HIPPOLYTE
Moi ?

THÉRAMÈNE
J'ignore sa pensée,
Mais on vous est venu demander de sa part.
Phèdre veut vous parler avant votre départ.

HIPPOLYTE
Phèdre ? Que lui dirai-je ? Et que peut-elle attendre…

ARICIE
Seigneur, vous ne pouvez refuser de l'entendre.
Quoique trop convaincu de son inimitié,
Vous devez à ses pleurs quelque ombre[1] de pitié.

HIPPOLYTE
Cependant vous sortez. Et je pars. Et j'ignore
570 Si je n'offense point les charmes[2] que j'adore.
J'ignore si ce cœur que je laisse en vos mains…

ARICIE
Partez, Prince, et suivez vos généreux desseins[3].
Rendez de mon pouvoir Athènes tributaire[4].

---

1. *Ombre* : « se prend encore pour Apparence » (*Dictionnaire de l'Académie*, 1694). \ 2. *Charmes* : voir lexique, p. 175. \ 3. *Généreux desseins* : résolutions dignes d'une âme bien née, nobles décisions. \ 4. *Tributaire de* : étymologiquement, qui paie un tribut à, d'où « qui paye quelque chose comparé à un tribut […] Soumis à » (*Dictionnaire* de Littré).

J'accepte tous les dons que vous me voulez faire.
Mais cet empire enfin si grand, si glorieux,
N'est pas de vos présents le plus cher à mes yeux.

Scène 4

HIPPOLYTE, THÉRAMÈNE

HIPPOLYTE

Ami, tout est-il prêt ? Mais la reine s'avance.
Va, que pour le départ tout s'arme en diligence[1].
Fais donner le signal, cours, ordonne, et revien[2]
580 Me délivrer bientôt d'un fâcheux entretien.

Scène 5

PHÈDRE, HIPPOLYTE, ŒNONE[3]

PHÈDRE, *à Œnone.*

Le voici. Vers mon cœur tout mon sang se retire.
J'oublie, en le voyant, ce que je viens lui dire.

---

1. *Diligence* : « prompte exécution » (*Dictionnaire de l'Académie*, 1694). \ **2.** *Revien* : en ancien français, la seconde personne du singulier de l'impératif se distinguait de la seconde personne de l'indicatif présent par l'absence de désinence. Progressivement, la désinence -*s* apparaît en moyen français. Si les règles modernes se mettent en place au XVIIᵉ siècle, l'usage reste encore mal établi à l'époque. En l'occurrence, l'absence du -*s* désinentiel est légitimée par la régularité de la rime. \ **3.** Dans la tragédie d'Euripide, *Hippolyte porte-couronne*, c'est la nourrice qui révèle l'amour de Phèdre à Hippolyte ; l'aveu a lieu hors scène et l'héroïne n'y prend point part. La tragédie de Sénèque, *Phèdre* (voir II, 3, v. 584-718), constitue en revanche le modèle que Racine imite fort fidèlement en cette scène, et notamment ce ce qui concerne la tirade de l'aveu (*ibid.*, v. 634-662).

ŒNONE

Souvenez-vous d'un fils qui n'espère qu'en vous.

PHÈDRE

On dit qu'un prompt départ vous éloigne de nous,
Seigneur. À vos douleurs je viens joindre mes larmes.
Je vous viens pour un fils expliquer[1] mes alarmes[2].
Mon fils n'a plus de père, et le jour n'est pas loin
Qui de ma mort encor[3] doit le rendre témoin.
Déjà mille ennemis attaquent son enfance.
590   Vous seul pouvez contre eux embrasser[4] sa défense.
Mais un secret remords agite mes esprits[5].
Je crains d'avoir fermé votre oreille à ses cris[6].
Je tremble que sur lui votre juste colère
Ne poursuive bientôt une odieuse[7] mère.

HIPPOLYTE

Madame, je n'ai point des sentiments si bas.

PHÈDRE

Quand vous me haïriez je ne m'en plaindrais pas,
Seigneur. Vous m'avez vue attachée[8] à vous nuire.
Dans le fond de mon cœur vous ne pouviez pas lire.
À votre inimitié j'ai pris soin de m'offrir[9].

---

1. *Expliquer* : exposer. Le verbe tient son sens de son étymologie. *Explicare*, en latin, signifie d'abord au sens propre et concret « déplier ». Prévaut ainsi l'idée d'un dépliage, d'un déploiement, d'un déroulage, d'un développement. \ **2.** *Alarme*, formé sur « aux armes ! », a d'abord un sens militaire et désigne le signal du combat, d'où son sens psychologique d'« émotion causée par les ennemis » (*Dictionnaire de l'Académie*, 1694) et, plus généralement, dans la langue classique, d'inquiétude, de vive frayeur. La langue classique peut employer le terme dans un contexte galant et en lien avec la métaphore de la guerre d'amour. \ **3.** *Encor(e)* : « signifie aussi, de plus » (*Dictionnaire de l'Académie*, 1694). Pour la graphie « encor », voir la note 3, p. 31. \ **4.** *Embrasser* : « signifie encore, entreprendre une affaire, en prendre le soin » (*Dictionnaire de l'Académie*, 1694). \ **5.** *Mes esprits* : mon esprit ; pluriel poétique. \ **6.** *Cris* : voir lexique, p. 175. \ **7.** *Odieuse* : voir lexique, p. 175. \ **8.** *Attachée à* : appliquée à. \ **9.** *M'offrir* : m'exposer.

600 Aux bords[1] que j'habitais je n'ai pu vous souffrir.

En public, en secret contre vous déclarée,

J'ai voulu par des mers en[2] être séparée.

J'ai même défendu par une expresse loi

Qu'on osât prononcer votre nom devant moi.

Si pourtant à l'offense on mesure la peine,

Si la haine peut seule attirer votre haine,

Jamais femme ne fut plus digne de pitié,

Et moins digne, Seigneur, de votre inimitié.

HIPPOLYTE

Des droits de ses enfants une mère jalouse[3]

610 Pardonne rarement au fils d'une autre épouse.

Madame, je le sais. Les soupçons importuns

Sont d'un second hymen[4] les fruits les plus communs.

Toute autre aurait pour moi pris les mêmes ombrages[5],

Et j'en aurais peut-être essuyé plus d'outrages.

PHÈDRE

Ah, Seigneur ! Que le ciel, j'ose ici l'attester,

De cette loi commune a voulu m'excepter !

Qu'un soin[6] bien différent me trouble, et me dévore !

HIPPOLYTE

Madame, il n'est pas temps de vous troubler encore.

Peut-être votre époux voit encore le jour.

620 Le ciel peut à nos pleurs accorder son retour.

---

1. *Bords* : voir lexique, p. 175. \ **2.** Le pronom adverbial *en* conserve encore dans la langue classique la capacité de représenter des personnes. En l'occurrence, il représente le pronom *vous*. Le français moderne commanderait « de vous ». \ **3.** *Jalouse* : soucieuse de, attachée à. *Jaloux* appartient étymologiquement à la même famille que « zèle », et conserve en l'occurrence son sens étymologique. \ **4.** *Hymen* : voir lexique, p. 175. \ **5.** *Ombrage* : « signifie figurément défiance, soupçon : *donner de l'ombrage à quelqu'un. Il en a pris ombrage* » (*Dictionnaire de l'Académie*, 1694). \ **6.** *Soin* : voir lexique, p. 175.

Neptune le protège, et ce dieu tutélaire [1]
Ne sera pas en vain imploré par mon père.

PHÈDRE

On ne voit point deux fois le rivage des morts,
Seigneur. Puisque Thésée a vu les sombres bords,
En vain vous espérez qu'un dieu vous le renvoie,
Et l'avare Achéron [2] ne lâche point sa proie.
Que dis-je ? Il n'est point mort, puisqu'il respire en vous.
Toujours devant mes yeux je crois voir mon époux.
Je le vois, je lui parle, et mon cœur… Je m'égare,
630 Seigneur, ma folle ardeur malgré moi se déclare.

HIPPOLYTE

Je vois de votre amour l'effet prodigieux.
Tout mort qu'il est, Thésée est présent à vos yeux.
Toujours de son amour votre âme est embrasée.

PHÈDRE

Oui, Prince, je languis [3], je brûle pour Thésée.
Je l'aime, non point tel que l'ont vu les enfers,
Volage adorateur de mille objets [4] divers,
Qui va du dieu des morts déshonorer la couche [5] ;
Mais fidèle, mais fier [6], et même un peu farouche,

---

1. « On appelait chez les anciens Païens, *Dieux tutélaires,* certains dieux qu'ils regardaient comme protecteurs de la république, des villes, des familles, etc. » (*Dictionnaire de l'Académie,* 1694). \ **2.** *Avare Achéron* : *avare* est à prendre dans le sens d'« insatiable ». Il provient peut-être de Virgile (voir *Géorgiques,* II, v. 492). *Achéron* : voir lexique, p. 185. \ **3.** Selon le *Dictionnaire de l'Académie* (1694), *languir* signifie « être consumé peu à peu par quelque maladie qui abat les forces » et aussi « souffrir un supplice lent », physique ou moral. Le dictionnaire donne l'exemple suivant : « *On l'a brûlé à petit feu, on l'a fait languir.* » L'amour est un feu métaphorique mais provoque chez les personnages une consomption maladive. \ **4.** *Objets* : « On dit poétiquement, *l'objet de ma flamme, l'objet de mes désirs, etc.,* pour dire la personne qu'on aime » (*Dictionnaire de l'Académie,* 1694). \ **5.** Sur les aventures galantes de Thésée et sa légendaire descente aux Enfers, voir lexique, p. 185. \ **6.** *Fier* : voir lexique, p. 175.

Charmant[1], jeune, traînant tous les cœurs après soi[2],

640 Tel qu'on dépeint nos dieux, ou tel que je vous voi[3].

Il avait votre port[4], vos yeux, votre langage.

Cette noble pudeur[5] colorait son visage,

Lorsque de notre Crète il traversa les flots,

Digne sujet des vœux[6] des filles de Minos[7].

Que faisiez-vous alors ? Pourquoi sans Hippolyte

Des héros de la Grèce assembla-t-il l'élite[8] ?

Pourquoi trop jeune encor ne pûtes-vous alors

Entrer dans le vaisseau qui le mit sur nos bords ?

Par vous aurait péri le monstre de la Crète[9]

650 Malgré tous les détours de sa vaste retraite[10].

Pour en développer l'embarras incertain[11]

Ma sœur du fil fatal[12] eût armé votre main.

Mais non, dans ce dessein[13] je l'aurais devancée.

---

1. *Charmant* : voir lexique, p. 175. \ **2.** *Traînant* : entraîner. *Après soi* : au cours du XVIIᵉ siècle, les grammairiens fixent la répartition des usages des pronoms réfléxifs *lui* et *soi* selon que l'antécédent est défini ou non. Néanmoins, la forme *soi* choisie par Racine atteste que, dans l'usage comme dans l'ancienne langue, les deux pronoms demeurent encore en concurrence. Le français moderne commanderait « après lui ». \ **3.** *Je vous voi* : voir note 1, p. 27. \ **4.** *Port* : « maintien d'une personne, contenance » (*Dictionnaire de l'Académie*, 1694). \ **5.** *Pudeur* : comme le mot latin *pudor*, dont il provient, *pudeur* désigne la honte, la confusion, l'« honnête honte » (*Dictionnaire de l'Académie*, 1694), et par suite, la capacité à avoir honte, c'est-à-dire la timidité, la modestie. Il est en usage au XVIIᵉ siècle pour désigner la chasteté féminine et peut également traduire un sentiment de confusion à l'égard d'une manifestation de la sexualité. \ **6.** *Vœux* : voir lexique, p. 175. \ **7.** *Les filles de Minos* : Ariane et Phèdre. Voir lexique, p. 185. \ **8.** *Élite* : « ce qu'il y a d'élu, de choisi, de distingué » (*Dictionnaire* de Littré). \ **9.** Le *monstre de la Crète* : c'est-à-dire le Minotaure. Voir lexique, p. 185. \ **10.** *Les détours de sa vaste retraite* : c'est-à-dire du labyrinthe, où le Minotaure était gardé ; *retraite* : voir lexique, p. 175. \ **11.** *Développer l'embarras* : *développer* signifie « ôter l'enveloppe de quelque chose, ou déployer une chose enveloppée. [...] [Il] signifie aussi figurément débrouiller. [...] *Développer une difficulté. On a développé le mystère* » (*Dictionnaire de l'Académie*, 1694). Au XVIIᵉ siècle, *embarras* peut avoir un sens concret : « Rencontre de plusieurs choses qui s'empêchent les unes les autres dans un chemin, dans un passage » (*ibid.*). En l'occurrence, il s'agit, grâce au fil d'Ariane, de démêler l'enchevê-trement des voies et des passages du labyrinthe, dits « incertains », car ils n'offrent pas de point de repère. \ **12.** *Fatal* : voir lexique, p. 175. \ **13.** *Desseins* : voir lexique, p. 175.

L'amour m'en eût d'abord[1] inspiré la pensée.

C'est moi, Prince, c'est moi dont l'utile secours

Vous eût du Labyrinthe enseigné les détours.

Que de soins[2] m'eût coûtés[3] cette tête charmante[4] !

Un fil n'eût point assez rassuré votre amante.

Compagne du péril qu'il vous fallait chercher,

660 Moi-même devant vous j'aurais voulu marcher,

Et Phèdre au labyrinthe avec vous descendue,

Se serait avec vous retrouvée, ou perdue.

HIPPOLYTE

Dieux ! Qu'est-ce que j'entends ? Madame, oubliez-vous

Que Thésée est mon père, et qu'il est votre époux ?

PHÈDRE

Et sur quoi jugez-vous que j'en perds la mémoire,

Prince ? Aurais-je perdu tout le soin[5] de ma gloire[6] ?

HIPPOLYTE

Madame, pardonnez. J'avoue en rougissant,

Que j'accusais à tort un discours innocent.

Ma honte ne peut plus soutenir votre vue.

670 Et je vais…

PHÈDRE

Ah ! cruel, tu m'as trop entendue[7].

Je t'en ai dit assez pour te tirer d'erreur.

---

1. *D'abord* : « incontinent, aussitôt » (*Dictionnaire* de Richelet, 1694), c'est-à-dire, en l'occurrence, la première. \ 2. *Soins* : voir lexique, p. 175. \ 3. Les éditions ultérieures donnent « coûté ». Bien que la règle moderne de l'accord du participe passé avec l'auxiliaire *avoir* fût fixée depuis le XVIᵉ siècle, la formule en ayant été donnée par le poète Marot, l'usage demeurait au XVIIᵉ siècle très fluctuant, d'autant que les grammairiens n'étaient pas tous d'accord sur un certain nombre de cas. \ 4. *Charmante* : voir lexique, p. 175. \ 5. *Soin* : voir lexique, p. 175. \ 6. *Gloire* : honneur. \ 7. *Entendre* : « comprendre, concevoir en son esprit, avoir l'intelligence de quelque chose » (*Dictionnaire de l'Académie*, 1694).

Hé bien ! Connais donc Phèdre, et toute sa fureur[1].

J'aime. Ne pense pas qu'au moment que[2] je t'aime,

Innocente à mes yeux, je m'approuve moi-même,

Ni que du fol amour qui trouble ma raison

Ma lâche complaisance ait nourri le poison.

Objet infortuné des vengeances célestes,

Je m'abhorre[3] encor plus que tu ne me détestes.

Les dieux m'en sont témoins, ces dieux qui dans mon flanc

680 Ont allumé le feu fatal[4] à tout mon sang[5],

Ces dieux qui se sont fait une gloire cruelle[6]

De séduire[7] le cœur d'une faible mortelle.

Toi-même en ton esprit rappelle le passé.

C'est peu de t'avoir fui, cruel, je t'ai chassé.

J'ai voulu te paraître odieuse[8], inhumaine.

Pour mieux te résister, j'ai recherché ta haine.

De quoi m'ont profité mes inutiles soins[9] ?

Tu me haïssais plus, je ne t'aimais pas moins.

Tes malheurs te prêtaient encor de nouveaux charmes[10].

690 J'ai langui, j'ai séché, dans les feux, dans les larmes.

Il suffit de tes yeux pour t'en persuader,

Si tes yeux un moment pouvaient me regarder.

Que dis-je ? Cet aveu que je te viens de faire,

---

1. *Fureur* : voir lexique, p. 175. \ **2.** En langue classique, *que* relatif pouvait se substituer à *où* comme complément de temps. \ **3.** *Abhorrer* : « avoir en horreur, en aversion » (*Dictionnaire de l'Académie*, 1694). Le verbe français provient du latin *abhorrere*, « s'écarter avec horreur », et appartient à la même famille étymologique que *horreur*. \ **4.** Le cliché du feu de l'amour court dans la pièce. \ **5.** *Sang* : voir lexique, p. 175. \ **6.** *Cruelle* : voir lexique, p. 175. \ **7.** *Séduire* signifie « égarer, tromper, abuser, faire tomber dans l'erreur » (*Dictionnaire de l'Académie*, 1694) ; *seducere* (de *ducere*, « conduire ») signifie en latin « conduire à l'écart, détourner, mener hors du droit chemin ». \ **8.** *Odieuse* : voir lexique, p. 175. \ **9.** *De quoi m'ont profité mes inutiles soins* : profiter « signifie aussi être utile, servir […] *De quoi cela vous profitera-t-il ?* […] En ce sens il ne s'emploie guère qu'avec la négation » (*Dictionnaire de l'Académie*, 1694). Pour *soin*, voir lexique, p. 175. \ **10.** *Charmes* : voir lexique, p. 175.

Cet aveu si honteux, le crois-tu volontaire ?

Tremblante [1] pour un fils que je n'osais trahir [2],

Je te venais prier de ne le [3] point haïr.

Faibles projets d'un cœur trop plein de ce qu'il aime !

Hélas ! je ne t'ai pu parler [4] que de toi-même.

Venge-toi, punis-moi d'un odieux amour.

700 Digne fils du héros qui t'a donné le jour,

Délivre l'univers d'un monstre qui t'irrite [5].

La veuve de Thésée ose aimer Hippolyte ?

Crois-moi, ce monstre affreux ne doit point t'échapper.

Voilà mon cœur. C'est là que ta main doit frapper.

Impatient déjà d'expier son offense [6]

Au-devant de ton bras je le sens qui s'avance.

Frappe. Ou si tu le crois indigne de tes coups,

Si ta haine m'envie [7] un supplice si doux,

Ou si d'un sang trop vil ta main serait trempée [8],

---

1. *Tremblante* : voir note 2, p. 27. \ 2. *Trahir* signifie en l'occurrence « abandonner » et tient cette acception de son étymologie : en latin, le verbe *trahere* signifie d'abord « transmettre », d'où « abandonner, livrer, trahir ». \ 3. *De ne le point haïr* : voir note 2, p. 24. \ 4. La langue classique accepte deux constructions lorsqu'un pronom personnel est complément d'un infinitif dépendant d'un verbe recteur, le pronom pouvant précéder chacun des deux verbes. En témoigne le grammairien Vaugelas qui écrit de ces deux tours dans ses *Remarques sur la langue française* (1647) : « On répond que tous deux sont bons, mais que si celui-là doit être appelé le meilleur, qui est le plus en usage, *je ne le veux pas faire* sera meilleur que *je ne veux pas le faire*, parce qu'il est incomparablement plus usité. » La formule utilisée ici par Racine et préférée par Vaugelas correspond à la règle que les grammaires modernes appellent la « remontée du clitique ». \ 5. *Irriter* : voir lexique, p. 175. Le thème du monstre revient à plusieurs reprises dans la pièce. En l'occurrence, il est appliqué par Phèdre, sœur du Minotaure, à elle-même et marque le passage à un discours de soi à la troisième personne. \ 6. *Son offense* : l'offense qu'il t'a faite. \ 7. *Envier* : « ne pas accorder, refuser » (*Dictionnaire* de Littré). L'acception est étymologique : en latin, *invidere* signifie à l'origine « fixer ses yeux sur une chose », d'où, si on ne possède pas la chose, la désirer, l'envier, et, si on la possède, désirer la garder, la refuser. \ 8. *Ou si d'un sang trop vil ta main serait trempée* : le conditionnel marque la souplesse de la syntaxe racinienne et s'explique par une construction elliptique (si, en me frappant, « ta main serait trempée d'un sang trop vil »).

710 Au défaut de[1] ton bras prête-moi ton épée[2].
Donne.

ŒNONE

Que faites-vous, Madame ? Justes dieux !
Mais on vient. Évitez des témoins odieux.
Venez, rentrez, fuyez une honte certaine.

Scène 6

HIPPOLYTE, THÉRAMÈNE

THÉRAMÈNE

Est-ce Phèdre qui fuit, ou plutôt qu'on entraîne ?
Pourquoi, Seigneur, pourquoi ces marques de douleur ?
Je vous vois sans épée, interdit[3], sans couleur.

HIPPOLYTE

Théramène, fuyons. Ma surprise est extrême.
Je ne puis sans horreur[4] me regarder moi-même.
Phèdre… Mais non, grands dieux ! Qu'en un profond oubli
720 Cet horrible[5] secret demeure enseveli.

THÉRAMÈNE

Si vous voulez partir, la voile est préparée.

---

1. *Au défaut de* : à la place de. Le français moderne utiliserait « à défaut de ». \ **2.** Racine reprend à la tragédie de Sénèque le motif de l'épée. Cependant, chez Sénèque (voir *Phèdre*, II, 3), Hippolyte tirait son fer contre Phèdre, puis, dans un revirement de dégoût, rejetait l'arme, la considérant désormais souillée par le contact avec Phèdre. Dans la pièce de Sénèque et dans celle de Racine, l'épée abandonnée par Hippolyte sert ensuite de pièce à conviction à charge contre Hippolyte. \ **3.** *Interdit* : « signifie aussi, étonné, troublé, qui ne sait ce qu'il fait, ce qu'il dit » (*Dictionnaire de l'Académie*, 1694). Les éditions ultérieures remplacent dans cette phrase le point final par un point d'interrogation. \ **4.** *Horreur* : voir lexique, p. 175. \ **5.** *Horrible* : « qui fait horreur » (*Dictionnaire de l'Académie*, 1694).

Mais Athènes, Seigneur, s'est déjà déclarée.
Ses chefs ont pris les voix de toutes ses tribus[1].
Votre frère l'emporte, et Phèdre a le dessus.

HIPPOLYTE

Phèdre ?

THÉRAMÈNE

Un héraut[2] chargé des volontés d'Athènes
De l'État en ses mains vient remettre les rênes.
Son fils est roi, Seigneur.

HIPPOLYTE

Dieux, qui la connaissez,
Est-ce donc sa vertu que vous récompensez ?

THÉRAMÈNE

Cependant un bruit[3] sourd veut que le roi respire.
730 On prétend que Thésée a paru dans l'Épire[4].
Mais moi qui l'y cherchai, Seigneur, je sais trop bien…

HIPPOLYTE

N'importe, écoutons tout, et ne négligeons rien.
Examinons ce bruit, remontons à sa source.
S'il ne mérite pas d'interrompre ma course[5],
Partons, et quelque prix qu'il en puisse coûter,
Mettons le sceptre aux mains dignes de le porter.

Fin du second acte.

---

1. L'Athènes antique était divisée en « tribus ». \ 2. *Héraut* : « dans l'Antiquité, officier chargé de publications solennelles, et de diverses fonctions dans les cérémonies publiques » (*Dictionnaire* de Littré). \ 3. *Bruit* : voir lexique, p. 175. \ 4. *Épire* : voir lexique, p. 185. \ 5. *Course* : expédition. Il s'agit de déterminer si la nouvelle est de nature à faire renoncer Hippolyte à son départ pour Athènes.

Acte III

Scène première

PHÈDRE, ŒNONE

PHÈDRE

Ah ! que l'on porte ailleurs les honneurs qu'on m'envoie.
Importune, peux-tu souhaiter qu'on me voie ?
De quoi viens-tu flatter [1] mon esprit désolé ?
740 Cache-moi bien plutôt, je n'ai que trop parlé.
Mes fureurs [2] au dehors ont osé se répandre.
J'ai dit ce que jamais on ne devait [3] entendre.
Ciel ! Comme il m'écoutait ! Par combien de détours
L'insensible a longtemps éludé mes discours !
Comme il ne respirait [4] qu'une retraite prompte !
Et combien sa rougeur a redoublé ma honte !
Pourquoi détournais-tu mon funeste [5] dessein ?
Hélas ! Quand son épée allait chercher mon sein,
A-t-il pâli pour moi ? Me l'a-t-il arrachée ?
750 Il suffit que ma main l'ait une fois touchée,

---

1. « On dit *flatter quelqu'un de quelque chose*, pour dire : lui faire espérer quelque chose » (*Dictionnaire de l'Académie*, 1694). \ **2.** *Fureurs* : voir lexique, p. 175. \ **3.** Dans la langue classique, l'imparfait de l'indicatif des auxiliaires de modalité *devoir* et *pouvoir* peut avoir valeur de conditionnel. \ **4.** *Respirer* : « signifie encore figurément souhaiter ardemment […]. En ce sens, il est encore actif, et ne s'emploie guère qu'avec la négative » (*Dictionnaire de l'Académie*, 1694). \ **5.** *Funeste* : voir lexique, p. 175.

Je l'ai rendue horrible [1] à ses yeux inhumains,
Et ce fer malheureux profanerait ses mains.

ŒNONE

Ainsi dans vos malheurs ne songeant qu'à vous plaindre,
Vous nourrissez un feu qu'il vous faudrait éteindre.
Ne vaudrait-il pas mieux, digne sang [2] de Minos,
Dans de plus nobles soins [3] chercher votre repos,
Contre un ingrat qui plaît recourir à la fuite,
Régner, et de l'État embrasser [4] la conduite ! [5]

PHÈDRE

Moi régner ! Moi ranger un État sous ma loi !
760 Quand ma faible raison ne règne plus sur moi,
Lorsque j'ai de mes sens abandonné l'empire [6],
Quand sous un joug [7] honteux à peine je respire,
Quand je me meurs !

ŒNONE

Fuyez.

PHÈDRE

Je ne le [8] puis quitter.

ŒNONE

Vous l'osâtes bannir, vous n'osez l'éviter.

PHÈDRE

Il n'est plus temps. Il sait mes ardeurs insensées.

---

1. *Horrible* : voir lexique, p. 175. \ **2.** *Digne du sang de Minos* : Œnone en appelle à l'appartenance de Phèdre à la lignée du roi Minos, dont elle est la fille et dont la sagesse lui valut après sa mort de devenir un des trois juges légendaires des Enfers. Sur *Sang*, voir lexique, p. 175. \ **3.** *Soins* : voir lexique, p. 175. \ **4.** *Embrasser* : se charger de, s'attacher à. \ **5.** Dans l'édition de 1697, Racine transforme l'exclamation en interrogation. \ **6.** *Empire* : maîtrise, contrôle. \ **7.** *Joug* : voir lexique, p. 175. \ **8.** Sur la place du pronom personnel, voir note 4, p. 60.

De l'austère pudeur[1] les bornes sont passées.
J'ai déclaré ma honte aux yeux de mon vainqueur,
Et l'espoir malgré moi s'est glissé dans mon cœur.
Toi-même rappelant ma force défaillante,
770 Et mon âme déjà sur mes lèvres[2] errante,
Par tes conseils flatteurs[3] tu m'as su ranimer.
Tu m'as fait entrevoir que je pouvais l'aimer.

ŒNONE

Hélas ! de vos malheurs innocente ou coupable,
De quoi pour vous sauver n'étais-je point capable ?
Mais si jamais l'offense irrita vos esprits[4],
Pouvez-vous d'un superbe[5] oublier les mépris ?
Avec quels yeux cruels[6] sa rigueur obstinée
Vous laissait à ses pieds peu s'en faut prosternée !
Que son farouche orgueil le rendait odieux[7] !
780 Que Phèdre en ce moment n'avait-elle mes yeux !

PHÈDRE

Œnone, il peut quitter cet orgueil qui te blesse.
Nourri[8] dans les forêts, il en a la rudesse.
Hippolyte endurci par de sauvages lois[9]

---

1. *Pudeur* : voir lexique, p. 175. \ **2.** *Mon âme déjà sur mes lèvres* : « On dit figurément qu'*une personne a l'âme sur les lèvres,* pour dire qu'elle est prête à expirer » (*Dictionnaire de l'Académie,* 1694). Le mot *âme* hérite alors de ses sens étymologiques : *anima*, en latin, désigne d'abord le souffle d'air, puis le souffle, l'haleine, puis le souffle de vie, la vie, et l'âme conçue comme principe de vie. Le verbe *ranimer*, au vers suivant, dérive de la même famille. \ **3.** *Flatteur* possède les mêmes nuances de sens que *flatter*. Il signifie d'abord « caressant » (*Dictionnaire de l'Académie*, 1694), mais aussi séduisant, en bonne ou mauvaise part, et trompeur. \ **4.** *L'offense irrita vos esprits* : l'article défini qui détermine *offense* possède une valeur généralisante. Il s'agit du fait d'être offensé. *Esprit* : se dit par une opération de particularisation de « l'âme considérée comme l'agent des pensées, des souvenirs, des volontés [...]. Se dit aussi dans le même sens au pluriel, en poésie » (*Dictionnaire* de Littré). \ **5.** *Superbe* : voir lexique, p. 175. \ **6.** *Cruels* : voir lexique, p. 175. \ **7.** *Odieux* : voir lexique, p. 175. \ **8.** *Nourri* : élevé. \ **9.** *Lois* : principes, règles de vie.

Entend parler d'amour pour la première fois[1].
Peut-être sa surprise a causé son silence,
Et nos plaintes peut-être ont trop de violence.

ŒNONE

Songez qu'une barbare en son sein l'a formé[2].

PHÈDRE

Quoique Scythe[3] et barbare, elle a pourtant aimé.

ŒNONE

Il a pour tout le sexe[4] une haine fatale[5].

PHÈDRE

790 Je ne me verrai point préférer de rivale[6].
Enfin, tous tes conseils ne sont plus de saison.
Sers ma fureur[7], Œnone, et non point ma raison.
Il oppose à l'amour un cœur inaccessible.
Cherchons pour l'attaquer quelque endroit plus sensible.
Les charmes[8] d'un empire ont paru le toucher.
Athènes l'attirait, il n'a pu s'en cacher.
Déjà de ses vaisseaux la pointe[9] était tournée,
Et la voile flottait aux vents abandonnée.
Va trouver de ma part ce jeune ambitieux,
800 Œnone. Fais briller la couronne à ses yeux.

---

1. Hippolyte avoue lui-même qu'il est novice en amour : voir le vers 558. \ **2.** *Une barbare en son sein l'a formé* : *barbare* signifie « sauvage, qui n'a ni lois ni politesse » (*Dictionnaire de l'Académie*, 1694). Le terme signifie aussi, dans la langue classique, « cruel, inhumain » et qualifie également une langue étrangère. De fait, en grec, le mot est forgé à partir d'une onomatopée pour désigner l'étranger qui bredouille, bafouille. *Une barbare* désigne la mère d'Hippolyte, Antiope, reine des Amazones, barbare car sauvage, cruelle, et « étrangère » (v. 202, 328). *Former* « se dit de la production des êtres vivants les uns par les autres » (*Dictionnaire* de Littré). \ **3.** *Scythe* : voir lexique, p. 185. \ **4.** *Sexe* : voir lexique p. 175. \ **5.** *Fatale* : voir lexique, p. 175. \ **6.** Depuis le vers 787, Racine s'inspire très précisément de Sénèque (voir *Phèdre*, I, 2, v. 229-243). \ **7.** *Fureur* : voir lexique, p. 175. \ **8.** *Charmes* : voir lexique, p. 175. \ **9.** « *Pointe* se dit aussi du bout, de l'extrémité des choses qui vont en diminuant » (*Dictionnaire de l'Académie*, 1694).

Qu'il mette sur son front le sacré diadème.
Je ne veux que l'honneur de l'attacher moi-même.
Cédons-lui ce pouvoir que je ne puis garder[1].
Il instruira mon fils dans l'art de commander.
Peut-être il voudra bien lui tenir lieu de père.
Je mets sous son pouvoir et le fils et la mère.
Pour le fléchir enfin tente tous les moyens.
Tes discours trouveront plus d'accès[2] que les miens.
Presse[3], pleure, gémis, peins-lui[4] Phèdre mourante.
810 Ne rougis point de prendre une voix suppliante.
Je t'avouerai de tout[5], je n'espère qu'en toi.
Va, j'attends ton retour pour disposer de moi.

Scène 2

PHÈDRE, *seule*.

Ô toi ! qui vois la honte où je suis descendue,
Implacable Vénus, suis-je assez confondue[6] ?
Tu ne saurais plus loin pousser ta cruauté.
Ton triomphe est parfait[7], tous tes traits[8] ont porté.

---

1. Dans les vers 800-803, Racine s'inspire tout particulièrement de la *Phèdre* de Sénèque (voir II, 3, v. 617-619, paroles de Phèdre à Hippolyte). \ **2.** *Accès* est employé au sens figuré : les discours d'Œnone atteindront plus facilement Hippolyte que ceux de Phèdre. \ **3.** *Presser* : « se dit figurément des discours par lesquels on insiste auprès de quelqu'un pour le porter à quelque chose » (*Dictionnaire de l'Académie*, 1694). \ **4.** *Peins-lui* : l'édition de 1697, troisième édition collective des *Œuvres* de Racine, et dernière édition du vivant de l'auteur, donne « plains-lui ». \ **5.** *Avouer de tout* : avouer « signifie aussi autoriser une chose, déclarer qu'on l'approuve, soit qu'elle ait été faite par notre ordre ou non. [...] *Je l'avouerais de tout ce qu'il fera* » (*Dictionnaire de l'Académie*, 1694). \ **6.** *Confondu* signifie « troublé, bouleversé » et peut aussi plus précisément se dire de ceux « qu'on surprend en quelque action honteuse qui les fait rougir » (*Dictionnaire* de Furetière, 1690). \ **7.** *Parfait* : « achevé, complet » (*Dictionnaire de l'Académie*, 1694). Le verbe *parfaire* signifie en effet « achever une chose, en sorte qu'il n'y manque rien » (*ibid.*) et tient ce sens de son étymologie latine, *perficere*. \ **8.** *Traits* : voir lexique, p. 175.

Cruelle[1], si tu veux une gloire nouvelle,
Attaque un ennemi qui te soit plus rebelle.
Hippolyte te fuit, et bravant ton courroux,
820 Jamais à tes autels n'a fléchi les genoux.
Ton nom semble offenser ses superbes[2] oreilles.
Déesse, venge-toi, nos causes sont pareilles.
Qu'il aime. Mais déjà tu reviens sur tes pas,
Œnone ? On me déteste, on ne t'écoute pas.

Scène 3

PHÈDRE, ŒNONE

ŒNONE

Il faut d'un vain[3] amour étouffer la pensée,
Madame. Rappelez votre vertu passée.
Le roi, qu'on a cru mort, va paraître à vos yeux.
Thésée est arrivé. Thésée est en ces lieux.
Le peuple, pour le voir, court et se précipite.
830 Je sortais par votre ordre, et cherchais Hippolyte,
Lorsque jusques[4] au ciel mille cris élancés[5]...

PHÈDRE

Mon époux est vivant, Œnone, c'est assez.
J'ai fait l'indigne aveu d'un amour qui l'outrage.
Il vit. Je ne veux pas en savoir davantage.

---

1. *Cruelle* : l'adjectif file la métaphore de l'amour comme blessure. Voir lexique, p. 175. \ **2.** *Superbe* : voir lexique, p. 175. \ **3.** *Vain* : « signifie aussi frivole, chimérique, qui n'a aucun fondement solide et raisonnable » (*Dictionnaire de l'Académie*, 1694). \ **4.** *Jusques* : voir note 5, p. 39. \ **5.** *Élancés* : lancés avec force.

ŒNONE

Quoi ?

PHÈDRE

Je te l'ai prédit, mais tu n'as pas voulu[1].
Sur mes justes remords tes pleurs ont prévalu.
Je mourais ce matin digne d'être pleurée.
J'ai suivi tes conseils, je meurs déshonorée.

ŒNONE

Vous mourrez ?

PHÈDRE

Juste ciel ! Qu'ai-je fait aujourd'hui[2] !
840 Mon époux va paraître, et son fils avec lui.
Je verrai le témoin de ma flamme adultère
Observer de quel front j'ose aborder son père[3],
Le cœur gros de soupirs, qu'il n'a point écoutés,
L'œil humide de pleurs, par l'ingrat rebutés[4].
Penses-tu que sensible à l'honneur de Thésée,
Il lui cache l'ardeur dont je suis embrasée ?
Laissera-t-il trahir et son peuple et son roi ?
Pourra-t-il contenir l'horreur[5] qu'il a pour moi ?
Il se tairait en vain. Je sais mes perfidies[6],

---

1. *Mais tu n'as pas voulu* : formulation elliptique. Cette réplique est inspirée par les paroles de Phèdre à sa nourrice dans *Hippolyte*, la tragédie d'Euripide (voir v. 682-684). \ **2.** La troisième édition collective des *Œuvres* de Racine (1697) transforme cette exclamative en interrogative. \ **3.** *Observer de quel front j'ose aborder son père* : Racine imite une réplique d'Hippolyte à la nourrice dans *Hippolyte*, la tragédie d'Euripide (voir v. 657-659). *Front* signifie « l'air, l'attitude, le langage, les manières, surtout en poésie » (*Dictionnaire* de Littré). \ **4.** *Rebuter* : « rejeter avec dureté, avec rudesse » (*Dictionnaire de l'Académie*, 1694). \ **5.** *Horreur* : voir lexique, p. 175. \ **6.** *Perfidie* : « déloyauté, manquement de foi » (*Dictionnaire de l'Académie*, 1694). L'acception du terme provient de son sens étymologique : en latin, *perfidus* qualifie littéralement celui qui transgresse (préfixe *per*) la foi, la fidélité (*fides*).

850 Œnone, et ne suis point de ces femmes hardies,
Qui goûtant dans le crime une tranquille paix,
Ont su se faire un front qui ne rougit jamais.
Je connais mes fureurs [1], je les rappelle [2] toutes.
Il me semble déjà que ces murs, que ces voûtes
Vont prendre la parole, et prêts à m'accuser
Attendent mon époux, pour le désabuser [3].
Mourons. De tant d'horreurs [4] qu'un trépas me délivre.
Est-ce un malheur si grand que de cesser de vivre [5] ?
La mort aux malheureux ne cause point d'effroi.
860 Je ne crains que le nom [6] que je laisse après moi.
Pour mes tristes [7] enfants quel affreux héritage !
Le sang de Jupiter [8] doit enfler leur courage [9].
Mais quelque juste orgueil qu'inspire un sang si beau,
Le crime d'une mère est un pesant fardeau.
Je tremble qu'un discours [10] hélas ! trop véritable
Un jour ne leur reproche une mère coupable.
Je tremble qu'opprimés [11] de ce poids odieux [12]
L'un ni l'autre [13] jamais n'ose lever les yeux.

---

1. *Fureurs* : voir lexique, p. 175. \ 2. *Rappeler* possède alors le sens figuré de « faire revenir dans la mémoire » (*Dictionnaire* de Littré), c'est-à-dire « se rappeler ». \ 3. *Désabuser* : détromper. \ 4. *Horreurs* : voir lexique, p. 175. \ 5. Le vers imite le vers 646 du chant XII de l'*Énéide* (paroles du roi Turnus) de Virgile. \ 6. *Nom* : « signifie aussi réputation » (*Dictionnaire de l'Académie*, 1694). \ 7. *Triste* : « affligé, abattu de douleur » (*Dictionnaire de l'Académie*, 1694). Dans la langue classique, l'adjectif possède un sens plus fort qu'en français moderne. \ 8. *Le sang de Jupiter* : par sa mère Æthra, fille de Pitthée, Thésée descend de Tantale, fils de Jupiter (Zeus). Par son père Minos, Phèdre est la petite-fille d'Europe et de Jupiter (Zeus). Pour *sang*, voir lexique, p. 175. \ 9. *Enfler leur courage* : « On dit figurément *enfler le cœur, enfler le courage,* pour dire augmenter le courage » (*Dictionnaire de l'Académie*, 1694), d'où s'enorgueillir (voir le vers suivant). Pour *courage*, voir lexique, p. 175. \ 10. *Un discours* : des propos. \ 11. *Opprimer* : accabler. Le verbe tient cette acception de son étymologie : le verbe latin *opprimere*, du préfixe *ob* et de *premere* (presser), signifie au sens propre « comprimer, presser », et au sens figuré, « accabler, faire pression sur ». \ 12. *Odieux* : voir lexique, p. 175. \ 13. Il s'agit des deux fils de Phèdre et de Thésée, Acamas et Démophon, que Racine ne nomme pas. La tirade est inspirée par le souvenir de l'*Hippolyte* d'Euripide (voir v. 401-425).

ŒNONE

Il n'en faut point douter, je les plains l'un et l'autre.
870 Jamais crainte ne fut plus juste[1] que la vôtre.
Mais à de tels affronts pourquoi les exposer ?
Pourquoi contre vous-même allez-vous déposer[2] ?
C'en est fait. On dira que Phèdre trop coupable
De son époux trahi fuit l'aspect[3] redoutable.
Hippolyte est heureux qu'aux dépens de vos jours
Vous-même en expirant appuyez[4] ses discours.
À votre accusateur que pourrai-je répondre ?
Je serai devant lui trop facile à confondre.
De son triomphe affreux je le verrai jouir,
880 Et conter votre honte à qui voudra l'ouïr.
Ah ! que plutôt du ciel la flamme me dévore !
Mais ne me trompez point, vous est-il cher encore ?
De quel œil voyez-vous ce prince audacieux ?

PHÈDRE

Je le vois comme un monstre effroyable à mes yeux.

ŒNONE

Pourquoi donc lui céder une victoire entière ?
Vous le craignez. Osez l'accuser la première
Du crime dont il peut vous charger[5] aujourd'hui.

---

1. *Juste* : voir lexique, p. 175. \ **2.** *Déposer* : « faire sa déposition comme témoin, rendre témoignage » (*Dictionnaire* de Littré). Le thème juridique est récurrent dans les tragédies : le crime commis appelle la justice des dieux comme celle des hommes. \ **3.** *Aspect* : « vue, présence de quelqu'un, de quelque chose » (*Dictionnaire de l'Académie*, 1694). \ **4.** *Appuyez* : après un verbe de sentiment, l'usage de l'indicatif est possible dans la langue classique et permet de souligner la réalité du procès. L'emploi du présent de l'indicatif dans la principale, au lieu du futur, rend plus présente et plus vive l'évocation de l'avenir qu'Œnone prévoit. \ **5.** « *Charger quelqu'un* signifie aussi déposer contre lui, et dire des choses qui vont le faire condamner » (*Dictionnaire de l'Académie*, 1694). Sur l'emploi du lexique juridique, voir ci-dessus note 2.

Qui vous démentira ? Tout parle contre lui.

Son épée en vos mains heureusement [1] laissée,

890 Votre trouble présent, votre douleur [2] passée,

Son père par vos cris [3] dès longtemps prévenu [4],

Et déjà son exil par vous-même obtenu.

PHÈDRE

Moi, que j'ose opprimer [5] et noircir [6] l'innocence ?

ŒNONE

Mon zèle [7] n'a besoin que de votre silence.

Tremblante, comme vous, j'en [8] sens quelques remords.

Vous me verriez plus prompte affronter mille morts.

Mais puisque je vous perds sans ce triste [9] remède,

Votre vie est pour moi d'un prix à qui [10] tout cède.

Je parlerai. Thésée aigri par mes avis [11]

900 Bornera sa vengeance à l'exil de son fils.

Un père en punissant, Madame, est toujours père,

Un supplice léger suffit à sa colère.

Mais le sang innocent dût-il être versé,

Que ne demande point votre honneur menacé ?

C'est un trésor trop cher pour oser le commettre [12].

---

1. *Heureusement* : par un heureux hasard. L'adverbe appartient à la même famille que le mot *heur* (la chance, la bonne fortune), déjà vieilli à la fin du XVIIe siècle, et provenant du latin *augurium* (le présage, favorable ou non ; d'où la chance, bonne ou mauvaise, et plus précisément la bonne ; puis le sort, la condition, la destinée). \ **2.** *Douleur* : irritation, ressentiment. \ **3.** *Cris* : voir lexique, p. 175. \ **4.** *Prévenir* : « faire naître d'avance dans l'esprit des sentiments favorables ou défavorables » (*Dictionnaire* de Littré). \ **5.** *Opprimer* : voir lexique, p. 175. \ **6.** *Noircir* : « signifie figurément diffamer, faire passer pour méchant [*i. e.* "mauvais", "contraire à la probité, à la justice"], ou pour infâme » (*Dictionnaire de l'Académie*, 1694). \ **7.** *Zèle* : ferveur à servir quelqu'un. \ **8.** Le pronom adverbial *en* représente les actions exprimées au vers 893, « opprimer et noircir l'innocence ». \ **9.** *Triste* : voir lexique, p. 175. \ **10.** Au XVIIe siècle, le pronom relatif *qui* derrière préposition se réfère fréquemment, et malgré l'avis des grammairiens, à un antécédent non humain. \ **11.** *Aigri par mes avis* : irrité par ce dont je l'aviserai. Sur la rime, voir note 2, p. 43. \ **12.** *Commettre* : exposer, et plus précisément exposer à recevoir quelque préjudice, à être mis à mal, d'où compromettre.

Quelque loi qu'il vous dicte, il faut vous y soumettre,
Madame, et pour sauver notre honneur combattu [1],
Il faut immoler tout, et même la vertu.
On vient, je vois Thésée.

PHÈDRE
Ah ! je vois Hippolyte.
910 Dans ses yeux insolents je vois ma perte écrite.
Fais ce que tu voudras, je m'abandonne à toi.
Dans le trouble où je suis je ne puis rien pour moi.

Scène 4

THÉSÉE, HIPPOLYTE, PHÈDRE, ŒNONE, THÉRAMÈNE

THÉSÉE
La fortune à mes yeux cesse d'être opposée,
Madame, et dans vos bras met…

PHÈDRE
Arrêtez, Thésée,
Et ne profanez point des transports si charmants [2].
Je ne mérite plus ces doux empressements.
Vous êtes offensé. La fortune jalouse [3]
N'a pas en votre absence épargné votre épouse.
Indigne de vous plaire, et de vous approcher,
920 Je ne dois désormais songer qu'à me cacher.

---

1. *Combattre* : « attaquer son ennemi ou s'en défendre » (*Dictionnaire de l'Académie*, 1694) ; d'où *combattu* : attaqué. \ 2. *Transports si charmants* : *transport* possède le sens figuré de « mouvement violent de passion qui nous met hors de nous-mêmes » (*Dictionnaire* de Littré). Fréquemment, le *transport* est une manifestation de la passion amoureuse. Pour *charmant*, voir lexique, p. 175. \ 3. *Jaloux* : « figurément et poétiquement [:] qui fait obstacle, qui envie » (*Dictionnaire* de Littré).

Scène 5

THÉSÉE, HIPPOLYTE, THÉRAMÈNE

THÉSÉE

Quel est l'étrange accueil qu'on fait à votre père,
Mon fils ?

HIPPOLYTE

Phèdre peut seule expliquer ce mystère.
Mais si mes vœux ardents vous peuvent émouvoir,
Permettez-moi, Seigneur, de ne la plus revoir.
Souffrez que pour jamais le tremblant Hippolyte
Disparaisse des lieux que votre épouse habite.

THÉSÉE

Vous, mon fils, me quitter ?

HIPPOLYTE

Je ne la cherchais pas.
C'est vous qui sur ces bords[1] conduisîtes ses pas.
Vous daignâtes, Seigneur, aux rives de Trézène
930 Confier en partant Aricie, et la reine.
Je fus même chargé du soin de les garder.
Mais quels soins[2] désormais peuvent me retarder[3] ?
Assez dans les forêts mon oisive jeunesse
Sur de vils ennemis a montré son adresse.
Ne pourrai-je, en fuyant un indigne repos,
D'un sang plus glorieux teindre mes javelots ?

---

1. *Bords* : voir lexique, p. 175. \ 2. *Soins* : voir lexique, p. 175. \ 3. *Retarder* : retenir. De fait, *retarder* « signifie aussi empêcher d'aller, de partir, d'avancer » (*Dictionnaire de l'Académie*, 1694).

Vous n'aviez pas encore atteint l'âge où je touche,
Déjà plus d'un tyran, plus d'un monstre farouche
Avait de votre bras senti la pesanteur[1].
940 Déjà de l'insolence heureux persécuteur[2],
Vous aviez des deux mers[3] assuré[4] les rivages.
Le libre[5] voyageur ne craignait plus d'outrages.
Hercule respirant[6] sur le bruit[7] de vos coups[8]
Déjà de son travail[9] se reposait sur vous.
Et moi, fils inconnu d'un si glorieux père,
Je suis même encor[10] loin des traces de ma mère.
Souffrez que mon courage ose enfin s'occuper.
Souffrez, si quelque monstre a pu vous échapper,
Que j'apporte à vos pieds sa dépouille honorable ;
950 Ou que d'un beau trépas la mémoire[11] durable
Éternisant[12] des jours si noblement finis,
Prouve à tout l'avenir que j'étais votre fils.

THÉSÉE

Que vois-je ? Quelle horreur[13] dans ces lieux répandue
Fait fuir devant mes yeux ma famille éperdue ?

---

1. *Pesanteur* : « se dit aussi en parlant des coups que donne un homme fort et robuste, et du bras et de la main qui les donne » (*Dictionnaire de l'Académie*, 1694). La juxtaposition (ou parataxe) de la proposition du vers 937 d'une part, et des deux propositions des vers 938-939 et 940-941 d'autre part, exprime un rapport de subordination. \ **2.** *Persécuteur* : qui poursuit sans relâche, tourmente cruellement et punit. *Persécuter* est en effet à rapprocher de *poursuivre* (ils appartiennent à la famille étymologique du verbe latin *sequi*, qui signifie « suivre »). De plus, *persécuteur* possède également une acception juridique et exprime l'idée d'une violence. Il est en particulier utilisé à propos des persécutions des chrétiens. \ **3.** Selon la légende et les récits de Théramène (voir v. 75 et suiv. et notes correspondantes), Thésée, en chemin vers Athènes, avait délivré la route qui passe par l'isthme de Corinthe des brigands menaçant les voyageurs. \ **4.** *Assurer* : rendre sûr. \ **5.** *Libre* : libéré de la menace des brigands. \ **6.** *Respirer* : « signifie figurément prendre quelque relâche, avoir quelque relâche après de grandes peines, après un travail pénible » (*Dictionnaire de l'Académie*, 1694). \ **7.** *Bruit* : voir lexique, p. 175. \ **8.** *Coup* : « action héroïque, hardie, extraordinaire » (*Dictionnaire* de Furetière, 1690). \ **9.** *Travail* : voir lexique, p. 175. Sur les exploits de Thésée comme remplaçant d'Hercule, voir les vers 85 et suivants. \ **10.** *Encor* : voir note 3, p. 31. \ **11.** *Mémoire* : voir lexique, p. 175. \ **12.** *Éternisant* : immortalisant. \ **13.** *Horreur* : voir lexique, p. 175.

Si je reviens si craint, et si peu désiré,

Ô ciel ! de ma prison pourquoi m'as-tu tiré ?

Je n'avais qu'un ami [1]. Son imprudente flamme

Du tyran [2] de l'Épire allait ravir la femme [3].

Je servais à regret ses desseins amoureux.

960 Mais le sort irrité nous aveuglait tous deux.

Le tyran m'a surpris sans défense et sans armes.

J'ai vu Pirithoüs, triste objet de mes larmes,

Livré par ce barbare à des monstres cruels [4],

Qu'il nourrissait du sang des malheureux mortels.

Moi-même il m'enferma dans des cavernes sombres,

Lieux profonds, et voisins de l'empire des ombres [5].

Les dieux après six mois enfin m'ont regardé [6].

J'ai su tromper les yeux par qui [7] j'étais gardé.

D'un perfide ennemi j'ai purgé [8] la nature.

970 À ses monstres lui-même a servi de pâture.

Et lorsque avec transport [9] je pense m'approcher

---

1. Il s'agit de *Pirithoüs* : voir lexique, p. 185. \ 2. *Tyran* : « se dit aussi des Princes, légitimes, lorsqu'ils gouvernent avec cruauté, avec injustice, et sans aucun respect des lois divines et humaines » (*Dictionnaire de l'Académie*, 1694). \ 3. Sur cette variante de la légende de Thésée, que rapporte Plutarque dans la *Vie de Thésée* et que suit Racine, voir la préface *Phèdre*, p. 14. Dans la traduction de Plutarque par Jacques Amyot (1513-1593), c'est la fille de Haedonée (confondu avec Hadès) qui se nomme Proserpine. Cependant le texte grec donne pour nom de l'épouse royale Perséphone, autrement dit Proserpine, mais pour nom de la fille, Coré, autre nom de la déesse des Enfers. \ 4. *Monstres cruels* : le roi Haedonée, « tyran de l'Épire », régnait sur le peuple des Molosses, réputé pour ses chiens de garde ou de berger (d'où le mot français *molosse*). Il aurait livré Pirithoos à l'un de ces chiens, qu'il avait nommé Cerbère, du nom du chien de garde des Enfers. *Cruels* : voir lexique, p. 175. \ 5. *Empire des ombres* : royaume des morts. La légende voulait qu'on pût accéder aux Enfers depuis l'Épire, où coulait l'Achéron. \ 6. *Regarder* : « avoir égard à, en parlant de personnes (sens primitif qui vient de *garder* qui est dans *regarder*) » (*Dictionnaire* de Littré). Selon les croyances des Anciens, le regard divin porte en lui un pouvoir (*voir*, pour le pouvoir reconnu au regard, la superstition du mauvais œil). \ 7. *Par qui* : par lequels. La troisième édition collective des *Œuvres* de Racine (1697) donne « de qui ». Selon la légende et dans la version de Plutarque, c'est Hercule qui délivre Thésée. \ 8. *Purger* : possède le sens concret de « purifier, nettoyer, ôter ce qu'il y a de grossier et d'impur » (*Dictionnaire de l'Académie*, 1694), et possède ici, par extension, le sens de « débarrasser de ». \ 9. *Transport* : voir lexique, p. 175.

De tout ce que les dieux m'ont laissé de plus cher [1] ;
Que dis-je ? quand mon âme à soi-même [2] rendue
Vient se rassasier d'une si chère vue ;
Je n'ai pour tout accueil que des frémissements [3].
Tout fuit, tout se refuse à mes embrassements.
Et moi-même éprouvant la terreur que j'inspire,
Je voudrais être encor dans les prisons d'Épire.
Parlez. Phèdre se plaint que je suis outragé.
980 Qui m'a trahi ? Pourquoi ne suis-je pas vengé ?
La Grèce, à qui mon bras fut tant de fois utile,
A-t-elle au criminel accordé quelque asile ?
Vous ne répondez point. Mon fils, mon propre fils
Est-il d'intelligence avec mes ennemis ?
Entrons. C'est trop garder un doute qui m'accable.
Connaissons à la fois le crime et le coupable.
Que Phèdre explique enfin le trouble où je la voi [4].

Scène 6

HIPPOLYTE, THÉRAMÈNE

HIPPOLYTE

Où tendait ce discours [5] qui m'a glacé d'effroi ?
Phèdre toujours en proie à sa fureur [6] extrême

---

1. Rime dite « normande » des vers 971 et 972. Bien qu'apparaissant en français moderne n'être qu'une rime pour l'œil, la rime normande pouvait encore au XVIIe siècle constituer une rime pour l'oreille car la déclamation commandait des habitudes de diction à la rime, condamnées par Vaugelas en l'occurrence, « l'*r* bien forte » et « l'*e* fort ouverte » (*Remarques sur la langue française*, 1647). \ **2.** *Soi-même* : voir note 9, p. 49. \ **3.** *Frémissement* : « espèce d'émotion, de tremblement, qui vient de quelque passion violente » (*Dictionnaire de l'Académie*, 1694). \ **4.** *Voi* : vois ; voir note 1 p. 27. \ **5.** C'est-à-dire les paroles de Phèdre à Thésée (voir v. 914-920). \ **6.** *Fureur* : voir lexique, p. 175.

990 Veut-elle s'accuser et se perdre elle-même ?
Dieux ! que dira le roi ? Quel funeste[1] poison
L'amour a répandu sur toute sa maison[2] !
Moi-même plein d'un feu que sa haine réprouve,
Quel il m'a vu jadis, et quel[3] il me retrouve !
De noirs pressentiments viennent m'épouvanter.
Mais l'innocence enfin n'a rien à redouter.
Allons, cherchons ailleurs par quelle heureuse adresse[4]
Je pourrai de mon père émouvoir la tendresse,
Et lui dire un amour qu'il peut vouloir troubler,
1000 Mais que tout son pouvoir ne saurait ébranler.

Fin du troisième acte.

---

1. *Funeste* : voir lexique, p. 175. \ **2.** *Maison* : voir note 8, p. 44. \ **3.** La double structure exclamative, introduite par *quel* exclamatif, attribut de l'objet, souligne le changement d'Hippolyte entre le départ et le retour de Thésée. Le français moderne préférerait « Comme... comme ». \ **4.** *Adresse* : moyen ingénieux ; habile conduite.

Acte IV

Scène première

THÉSÉE, ŒNONE

THÉSÉE

Ah ! Qu'est-ce que j'entends[1] ! Un traître, un téméraire
Préparait cet outrage à l'honneur de son père ?
Avec quelle rigueur, Destin, tu me poursuis !
Je ne sais où je vas[2], je ne sais où je suis.
Ô tendresse ! Ô bonté trop mal récompensée !
Projet audacieux ! Détestable pensée !
Pour parvenir au but de ses noires amours[3]
L'insolent de la force empruntait le secours.
J'ai reconnu le fer, instrument de sa rage[4] ;

---

1. Les éditions ultérieures à celle de 1677 transforment l'exclamative en interrogative. Dans cette même tirade, les vers 1011-1013 sont en revanche transformés en interrogatives. \ **2.** Tel est le texte de 1677. Correction ultérieure : *je vais*. « Tous ceux qui savent écrire, et qui ont étudié, disent, *je vais*, et disent fort bien selon la Grammaire [...]. Mais toute la Cour dit, *je va*, et ne peut souffrir *je vais*, qui passe pour un mot Provincial, ou du peuple de Paris » (Vaugelas, *Remarques sur la langue française*, 1647). *Va* et *vas* sont sans doute des formes analogiques de la première personne, favorisées par une confusion dans la prononciation du [è] de *vais* et du [a] de *va(s)*. \ **3.** *Noires amours* : *noir* signifie figurément « méchant, avec mélange de trahison, de perfidie, en parlant des choses » (*Dictionnaire* de Littré). En français moderne, *amour*, entendu au sens de passion amoureuse, est régulièrement masculin au singulier et féminin au pluriel. En ancien français, le mot était souvent masculin, et plus souvent encore féminin. Au XVIIᵉ siècle, il est encore utilisé comme masculin au singulier ainsi qu'en témoignent plus bas les vers 1027 et 1030. \ **4.** *Rage* : emportement violent, passion furieuse.

1010 Ce fer dont je l'armai pour un plus noble usage.
Tous les liens du sang n'ont pu le retenir ?
Et Phèdre différait à le faire punir ?
Le silence de Phèdre épargnait le coupable ?

ŒNONE

Phèdre épargnait plutôt un père déplorable[1].
Honteuse du dessein d'un amant furieux[2],
Et du feu criminel qu'il a pris dans ses yeux,
Phèdre mourait, Seigneur, et sa main meurtrière
Éteignait de ses yeux l'innocente lumière.
J'ai vu lever le bras, j'ai couru la sauver.
1020 Moi seule à votre amour j'ai su la conserver.
Et plaignant à la fois son trouble et vos alarmes[3],
J'ai servi malgré moi d'interprète à ses larmes[4].

THÉSÉE

Le perfide ! Il n'a pu s'empêcher de pâlir.
De crainte en m'abordant[5] je l'ai vu tressaillir.
Je me suis étonné de son peu d'allégresse.
Ses froids embrassements ont glacé ma tendresse.
Mais ce coupable amour dont il est dévoré,
Dans Athènes déjà s'était-il déclaré ?

ŒNONE

Seigneur, souvenez-vous des plaintes de la reine.
1030 Un amour criminel causa toute sa haine.

---

1. *Déplorable* : voir lexique, p. 175. \ **2.** *Furieux* : pris de fureur. \ **3.** *Alarmes* : voir lexique, p. 175. \ **4.** Dans la tragédie d'Euripide (*Hippolyte porte-couronne*, v. 856-901), c'est une lettre de Phèdre qui accuse Hippolyte ; dans la tragédie de Sénèque (*Phèdre*, III, 2, v. 886-900), c'est Phèdre qui accuse Hippolyte en exhibant son épée : voir la préface de Racine. \ **5.** Voir note 2, p. 27.

THÉSÉE

Et ce feu dans Trézène a donc recommencé ?

ŒNONE

Je vous ai dit, Seigneur, tout ce qui s'est passé.
C'est trop laisser la reine à sa douleur mortelle.
Souffrez que je vous quitte et me range [1] auprès d'elle.

Scène 2 [2]

THÉSÉE, HIPPOLYTE

THÉSÉE

Ah ! le voici. Grands dieux ! À ce noble maintien [3]
Quel œil ne serait pas trompé comme le mien ?
Faut-il que sur le front d'un profane adultère [4]
Brille de la vertu le sacré caractère [5] ?
Et ne devrait-on pas à des signes certains
1040 Reconnaître le cœur des perfides humains [6] ?

---

1. « On dit aussi *se ranger du côté de quelqu'un, auprès de quelqu'un,* pour dire, l'aller trouver afin de recevoir ses ordres, et lui témoigner qu'on est dans ses intérêts » (*Dictionnaire de l'Académie*, 1694). \ **2.** Dans cette scène, Racine s'inspirée d'une scène équivalente de l'*Hippolyte* d'Euripide (v. 902-1101), située néanmoins après la mort de Phèdre. En outre, selon la *Dissertation sur les tragédies de Phèdre et Hippolyte*, il semble qu'à la création de la pièce un monologue de lamentation de Thésée s'intercalait entre les deux premières scènes de l'acte. \ **3.** *Noble maintien* : selon la *Dissertation sur les tragédies de Phèdre et Hippolyte*, Racine avait d'abord choisi « chaste maintien », qui fut moqué pour ses connotations homosexuelles. \ **4.** *Profane adultère* : est adultère « celui ou celle qui viole la foi conjugale » (*Dictionnaire* de Littré). Les liens du mariage sont sacrés, d'où l'adjectif *profane*. Selon Thésée, Hippolyte a attenté au sacré, ce qui justifie une punition divine. \ **5.** *Sacré caractère* : le *caractère* est « ce qui est le propre d'une chose » (*Dictionnaire* de Littré). L'adjectif *sacré* peut encore précéder le nom sans prendre le sens que lui donne l'antéposition en français moderne. Cependant, c'est au cours du XVIIᵉ siècle que commence à se fixer le lien entre la place de l'adjectif et sa valeur. La langue littéraire du XIXᵉ siècle rend une certaine souplesse à l'usage. \ **6.** *Perfides humains* : pour *perfide* voir lexique, p. 175. Le français moderne et non poétique préférerait « humains perfides ».

HIPPOLYTE

Puis-je vous demander quel funeste[1] nuage,
Seigneur, a pu troubler votre auguste[2] visage ?
N'osez-vous confier ce secret à ma foi[3] ?

THÉSÉE

Perfide, oses-tu bien te montrer devant moi ?
Monstre, qu'a trop longtemps épargné le tonnerre,
Reste impur des brigands dont j'ai purgé[4] la terre.
Après que le transport[5] d'un amour plein d'horreur[6]
Jusqu'au lit[7] de ton père a porté ta fureur[8],
Tu m'oses présenter une tête[9] ennemie,
1050 Tu parais dans des lieux pleins de ton infamie[10],
Et ne vas pas chercher sous un ciel inconnu
Des pays où mon nom ne soit point parvenu.
Fuis, traître. Ne viens point braver ici ma haine,
Et tenter[11] un courroux que je retiens à peine[12].
C'est bien assez pour moi de l'opprobre[13] éternel
D'avoir pu mettre au jour un fils si criminel,
Sans que ta mort encor, honteuse à ma mémoire[14],

---

1. *Funeste* : voir lexique, p. 175. \ **2.** *Auguste* : « vénérable, sacré, digne de très grand respect » (*Dictionnaire de l'Académie*, 1694). \ **3.** *Foi* : voir lexique, p. 175. \ **4.** *Purger* : voir lexique, p. 175. \ **5.** *Transport* : voir lexique, p. 175. \ **6.** *Horreur* : voir lexique, p. 175. \ **7.** *Lit* : « se dit figurément en choses morales, et signifie le mariage » (*Dictionnaire* de Furetière, 1690). \ **8.** *Ta fureur* : pour *fureur*, voir lexique, p. 175. La troisième édition collective des *Œuvres* de Racine (1697) donne « sa fureur ». \ **9.** *Tête* : voir lexique, p. 175. \ **10.** *Infamie* : « ignominie, flétrissure notable à l'honneur, à la réputation, soit par le droit et les lois, soit par l'opinion publique » (*Dictionnaire de l'Académie*, 1694). Étymologiquement, *infamie* désigne la privation (*in*, préfixe négatif), la perte de la réputation (*fama*, en latin). Le mot appartient à la famille des dérivés du verbe latin *fari* (« parler »), comme *fatal* et *fatalité*. \ **11.** *Tenter* : « mettre à l'épreuve, en parlant de la patience, de la colère » (*Dictionnaire* de Littré). \ **12.** *À peine* : avec peine, difficilement. \ **13.** *Opprobre* : « honte profonde, déshonneur extrême » (*Dictionnaire* de Littré). \ **14.** *Honteuse à ma mémoire* : entachant de honte le souvenir que je laisserai derrière moi. *Honteux* « signifie aussi qui cause de la honte, du déshonneur, de l'opprobre » (*Dictionnaire de l'Académie*, 1694). Pour *mémoire* : voir lexique, p. 175.

De mes nobles travaux [1] vienne souiller la gloire.

Fuis. Et si tu ne veux qu'un châtiment soudain

1060 T'ajoute aux scélérats qu'a punis cette main,

Prends garde que jamais l'astre qui nous éclaire

Ne te voie en ces lieux mettre un pied téméraire.

Fuis, dis-je, et sans retour précipitant tes pas,

De ton horrible aspect [2] purge tous mes États.

Et toi, Neptune [3], et toi, si jadis mon courage

D'infâmes assassins nettoya ton rivage,

Souviens-toi que pour prix de mes efforts heureux

Tu promis d'exaucer le premier de mes vœux.

Dans les longues rigueurs d'une prison [4] cruelle

1070 Je n'ai point imploré ta puissance immortelle.

Avares [5] du secours que j'attends de tes soins

Mes vœux t'ont réservé pour de plus grands besoins.

Je t'implore aujourd'hui. Venge un malheureux père.

J'abandonne ce traître à toute ta colère.

Étouffe dans son sang ses désirs effrontés.

Thésée à tes fureurs [6] connaîtra [7] tes bontés.

---

1. *Travaux* : voir lexique, p. 175. Le terme suggère un nouveau parallèle entre Thésée et Hercule. \ 2. *Aspect* : voir lexique, p. 175. \ 3. L'invocation à Neptune est un souvenir d'Euripide (*Hippolyte*, v. 885-888) et plus encore de Sénèque (*Phèdre*, III, 3, v. 942-954). Chez Euripide et Sénèque, Thésée invoque Neptune en l'appelant son père (Thésée passait parfois pour le fils de Neptune) et rappelle un engagement de trois souhaits – dont deux ont déjà été accomplis chez Sénèque. Chez les deux tragiques antiques, Hippolyte n'est pas sur scène lors de l'invocation. \ 4. *Prison* : Thésée fait référence à sa captivité « dans les prisons d'Épire » (v. 978), cause de son absence prolongée (voir v. 965 et suiv.). Les vers 1069-1070 constituent un souvenir de l'invocation à Neptune dans la *Phèdre* de Sénèque. \ 5. *Avares* : l'adjectif est au pluriel dans les éditions de 1677 et 1687, ce qui constitue une construction hardie évoquant la liberté dans la place des mots propre à la poésie latine. La troisième édition collective des *Œuvres* de Racine (1697) donne « avare ». \ 6. *Fureur* : « se dit aussi d'un violent transport de colère » (*Dictionnaire de l'Académie*, 1694). *Fureur* possède en ce vers sa valeur moderne. \ 7. *Connaître* : reconnaître.

HIPPOLYTE

D'un amour criminel Phèdre accuse Hippolyte[1] !
Un tel excès d'horreur rend mon âme interdite[2],
Tant de coups imprévus m'accablent à la fois
1080 Qu'ils m'ôtent la parole, et m'étouffent la voix.

THÉSÉE

Traître, tu prétendais qu'en un lâche silence
Phèdre ensevelirait ta brutale insolence.
Il fallait en fuyant ne pas abandonner
Le fer qui dans ses mains aide à te condamner.
Ou plutôt il fallait comblant ta perfidie[3]
Lui ravir tout d'un coup[4] la parole et la vie.

HIPPOLYTE

D'un mensonge si noir[5] justement irrité,
Je devrais faire ici parler la vérité,
Seigneur. Mais je supprime[6] un secret qui vous touche.
1090 Approuvez le respect qui me ferme la bouche ;
Et sans vouloir vous-même augmenter vos ennuis[7],
Examinez ma vie, et songez qui je suis.
Quelques crimes toujours précèdent les grands crimes.
Quiconque a pu franchir les bornes légitimes[8]

---

1. La phrase est une interrogative dans la troisième édition collective des *Œuvres* de Racine (1697). \ 2. *Interdite* : voir lexique, p. 175. \ 3. *Comblant ta perfidie* : *combler* signifie « figurément combler la mesure, commettre une dernière action qui rende toute patience, toute indulgence impossible » (*Dictionnaire* de Littré). Dans son premier sens, concret, *combler* signifie « remplir un vaisseau, une mesure jusque par-dessus les bords tant qu'il y en peut tenir » (*Dictionnaire de l'Académie*, 1694). *Perfidie* : voir lexique, p. 175. \ 4. *Tout d'un coup* : d'un même coup. \ 5. *Noir* : voir lexique, p. 175. \ 6. *Supprimer* : « cacher, dérober, empêcher qu'une chose ne vienne à la connaissance des autres » (*Dictionnaire* de Furetière, 1690). Le mot provient du verbe latin *supprimere* (du préfixe *sub* et du verbe *premere*, « presser »), qui signifie au propre « faire enfoncer en pressant, engloutir (un navire) » et au figuré, « faire disparaître, supprimer ». \ 7. *Ennuis* : voir lexique, p. 175. \ 8. *Les bornes légitimes* : les limites fixées par les lois.

Peut violer enfin [1] les droits les plus sacrés.

Ainsi que la vertu, le crime a ses degrés.

Et jamais on n'a vu la timide innocence

Passer subitement à l'extrême licence [2].

Un jour seul [3] ne fait point d'un mortel vertueux

1100   Un perfide assassin, un lâche incestueux [4].

Élevé dans le sein d'une chaste héroïne [5],

Je n'ai point de son sang démenti l'origine [6].

Pitthée estimé sage entre tous les humains

Daigna m'instruire encore au sortir de ses mains [7].

Je ne veux point me peindre avec trop d'avantage [8].

Mais si quelque vertu m'est tombée en partage,

Seigneur, je crois surtout avoir fait éclater [9]

La haine des forfaits qu'on ose m'imputer.

C'est par là qu'Hippolyte est connu dans la Grèce.

1110   J'ai poussé la vertu jusques [10] à la rudesse.

On sait de mes chagrins [11] l'inflexible rigueur.

Le jour n'est pas plus pur que le fond de mon cœur.

Et l'on veut qu'Hippolyte épris d'un feu profane...

---

1. *Enfin* : à la fin, pour finir. \ **2.** *Licence* : « signifie dans l'usage ordinaire du monde, dérèglement dans les mœurs, dans les actions, dans les paroles et dans toute la conduite de la vie » (*Dictionnaire de l'Académie*, 1694). Le passage est un souvenir probable du roman *Dom Carlos* (1672) de Saint-Réal : « Personne ne devient scélérat tout d'un coup. Il n'appartient pas à toutes sortes d'âmes de résoudre une grande méchanceté la première fois qu'elle vient dans la pensée. On n'arrive au crime que par degrés, de même qu'à la vertu. » \ **3.** *Un jour seul* : un seul jour. Sur la place de l'adjectif liée à sa valeur, voir note 4, p. 65. \ **4.** *Incestueux* est employé comme substantif dans ce vers. \ **5.** *Chaste héroïne* : allusion aux mœurs des Amazones, peuple de femmes mutilant leurs enfants mâles et n'admettant guère les hommes parmi elles, sauf à titre de serviteurs. \ **6.** *Je n'ai point de son sang démenti l'origine* : je n'ai pas démérité d'une extraction (*origine*) qui m'apparente à elle et aux siens (*son sang*), c'est-à-dire que je me suis montré à la hauteur de mon ascendance maternelle. \ **7.** *Au sortir de ses mains* : après qu'Antiope m'eut élevé. Selon la légende, Pitthée, roi de Trézène réputé pour sa sagesse, éleva son petit-fils Thésée, et son arrière-petit-fils Hippolyte. \ **8.** *Avec trop d'avantage* : trop avantageusement. \ **9.** *Éclater* : manifester avec éclat. \ **10.** *Jusques* : voir note 5, p. 39. \ **11.** *Chagrins* : voir lexique, p. 175.

THÉSÉE

Oui, c'est ce même orgueil, lâche, qui te condamne.
Je vois de tes froideurs le principe odieux [1].
Phèdre seule charmais [2] tes impudiques yeux.
Et pour tout autre objet [3] ton âme indifférente
Dédaignait de brûler d'une flamme innocente.

HIPPOLYTE

Non, mon père, ce cœur (c'est trop vous le celer [4])
1120 N'a point d'un chaste amour dédaigné de brûler.
Je confesse à vos pieds ma véritable offense.
J'aime, j'aime, il est vrai, malgré votre défense.
Aricie à ses lois tient mes vœux [5] asservis.
La fille de Pallante [6] a vaincu votre fils [7].
Je l'adore, et mon âme à vos ordres rebelle
Ne peut ni soupirer ni brûler que pour elle.

THÉSÉE

Tu l'aimes ? Ciel ! Mais non, l'artifice [8] est grossier.
Tu te feins criminel pour te justifier [9].

HIPPOLYTE

Seigneur, depuis six mois je l'évite, et je l'aime.
1130 Je venais en tremblant vous le dire à vous-même.
Hé quoi ? De votre erreur rien ne vous peut tirer ?
Par quel affreux [10] serment faut-il vous rassurer ?
Que la terre, le ciel, que toute la nature…

---

1. *Principe odieux* : *principe* signifie « origine, cause première » et, en l'occurrence, « en un sens plus restreint, ce qui produit, opère comme un principe » (*Dictionnaire* de Littré). *Odieux* : voir lexique, p. 175. \ **2.** *Charmer* : voir lexique, p. 175. \ **3.** *Objet* : voir lexique, p. 175. \ **4.** *Celer* : « cacher, taire » (*Dictionnaire de l'Académie*, 1694). \ **5.** *Vœux* : voir lexique, p. 175. \ **6.** *Pallante* : voir lexique, p. 185. \ **7.** Pour la rime, voir note 2, p. 43. \ **8.** *Artifice* : voir lexique, p. 175. \ **9.** *Justifier* : « montrer, prouver, déclarer que quelqu'un qui était accusé est innocent » (*Dictionnaire de l'Académie*, 1694). \ **10.** *Affreux* : voir lexique, p. 175.

THÉSÉE

Toujours les scélérats ont recours au parjure.

Cesse, cesse, et m'épargne[1] un importun discours,

Si ta fausse vertu n'a point d'autre secours.

HIPPOLYTE

Elle vous paraît fausse, et pleine d'artifice[2].

Phèdre au fond de son cœur me rend plus de justice.

THÉSÉE

Ah ! que ton impudence excite[3] mon courroux !

HIPPOLYTE

1140 Quel temps à mon exil, quel lieu prescrivez-vous ?

THÉSÉE

Fusses-tu par delà les colonnes d'Alcide[4],

Je me croirais encor trop voisin d'un perfide.

HIPPOLYTE

Chargé du crime affreux[5] dont vous me soupçonnez,

Quels amis me plaindront quand vous m'abandonnez ?

THÉSÉE

Va chercher des amis dont l'estime funeste[6]

Honore l'adultère, applaudisse à l'inceste,

Des traîtres, des ingrats, sans honneur et sans loi,

Dignes de protéger un méchant[7] tel que toi.

---

1. Le français moderne gouvernerait « et épargne moi ». La langue classique conserve l'héritage de cette tournure ancienne qui commande, devant l'impératif coordonné, le pronom personnel atone. \ **2.** *Artifice* : voir lexique, p. 175. \ **3.** *Exciter* : voir lexique, p. 175. \ **4.** *Alcide* : Hercule ; voir lexique, p. 185. Élevées par Hercule lors de ses voyages, ces colonnes, de part et d'autre du détroit de Gibraltar, marquent les limites du monde connu par les Grecs. \ **5.** *Affreux* : voir lexique, p. 175. \ **6.** *Funeste* : voir lexique, p. 175. \ **7.** *Méchant* : « mauvais, qui n'est pas bon, qui ne vaut rien dans son genre. […] Il signifie encore, qui manque de probité, contraire à la justice » (*Dictionnaire de l'Académie*, 1694).

HIPPOLYTE

Vous me parler toujours d'inceste et d'adultère ?
1150 Je me tais. Cependant Phèdre sort d'une mère,
Phèdre est d'un sang[1], Seigneur, vous le savez trop bien,
De toutes ces horreurs plus rempli que le mien[2].

THÉSÉE

Quoi ! ta rage à mes yeux perd toute retenue ?
Pour la dernière fois ôte-toi de ma vue.
Sors, traître. N'attends pas qu'un père furieux[3]
Te fasse avec opprobre[4] arracher de ces lieux.

Scène 3

THÉSÉE, *seul.*

Misérable, tu cours à ta perte infaillible.
Neptune par le fleuve aux dieux mêmes[5] terrible
M'a donné sa parole[6], et va l'exécuter.
1160 Un dieu vengeur te suit[7], tu ne peux l'éviter.
Je t'aimais. Et je sens que malgré ton offense
Mes entrailles[8] pour toi se troublent[9] par avance.

---

1. *Sang* : voir lexique, p. 175. \ **2.** *Mien* : fille de Pasiphaé (voir lexique, p. 185), nièce de la magicienne Circé et cousine de Médée (voir lexique, p. 185), Phèdre appartient à une famille de femmes criminelles. \ **3.** *Furieux :* pris de fureur. \ **4.** *Opprobre* : voir lexique, p. 175. \ **5.** *Mêmes* : au XVIIe siècle s'élabore la distinction entre les emplois de *même* comme adjectif (*même* varie alors en nombre) et comme adverbe (*même* est alors invariable). Le -*s* pourrait ici indiquer que *mêmes* est adjectif, mais il peut aussi être interprété comme un adverbe selon une orthographe encore attestée à l'époque. \ **6.** C'est-à-dire que Neptune *a donné sa parole* sur le Styx, fleuve des Enfers inspirant la terreur aux dieux eux-mêmes. C'est pour récompenser la nymphe Styx de lui avoir apporté son aide dans la guerre contre les Géants que Zeus (Jupiter) lui accorda d'être garante des serments des dieux : le serment par le Styx est irrévocable et son parjure passible de lourdes peines. \ **7.** *Suivre* : poursuivre. \ **8.** *Entrailles* : cœur. Le terme relève d'un registre noble. \ **9.** *Se troubler* : « éprouver une grande agitation de l'âme, de l'esprit » (*Dictionnaire* de Littré).

Mais à te condamner tu m'as trop engagé [1].
Jamais père en effet fut-il plus outragé ?
Justes dieux, qui voyez la douleur qui m'accable,
Ai-je pu mettre au jour un enfant si coupable ?

Scène 4 [2]

PHÈDRE, THÉSÉE

PHÈDRE

Seigneur, je viens à vous pleine d'un juste [3] effroi.
Votre voix redoutable a passé jusqu'à moi [4].
Je crains qu'un prompt effet n'ait suivi la menace.
1170 S'il en est temps encore, épargnez votre race [5].
Respectez votre sang [6], j'ose vous en prier.
Sauvez-moi de l'horreur de l'entendre crier [7].
Ne me préparez point la douleur éternelle
De l'avoir fait répandre à la main paternelle.

THÉSÉE

Non, Madame, en mon sang ma main n'a point trempé.
Mais l'ingrat toutefois ne m'est point échappé [8].

---

1. *Engager* : pousser. \ **2.** Gilbert (*Hippolyte* [1645], V, 2) a sans doute fourni à Racine l'idée d'une scène où Phèdre intercède pour Hippolyte auprès de Thésée. \ **3.** *Juste* : voir lexique, p. 175. \ **4.** *A passé* : est parvenue, est arrivée. Pour les verbes intransitifs, la concurrence entre les auxiliaires *être* et *avoir* est plus ouverte dans la langue classique qu'en français moderne. L'auxiliaire *avoir* met davantage en valeur l'idée d'action, l'auxiliaire *être* celle d'état, de résultat. Dans l'*Hippolyte* d'Euripide (v. 900), Hippolyte rejoint Thésée sur scène, inquiet des cris qu'il a entendus. \ **5.** *Race* : « lignée, lignage, extraction, tous ceux qui viennent d'une même famille » (*Dictionnaire de l'Académie*, 1694). Le mot se dit « quelquefois dans le sens de fils ou fille » (*Dictionnaire* de Littré). \ **6** *Sang* : voir lexique, p. 175. \ **7.** Le dieu de la Genèse s'adresse en ces termes à Caïn qui vient de tuer son frère Abel : « Qu'avez-vous fait ? la voix du sang de votre frère crie de la terre jusqu'à moi » (Bible, Genèse, IV, 10, trad. Lemaistre de Sacy). \ **8.** Sur l'emploi de l'auxiliaire *être*, voir ci-dessus note 4.

Une immortelle main de sa perte est chargée.
Neptune me la doit, et vous serez vengée.

PHÈDRE

Neptune vous la doit ! Quoi, vos vœux irrités…

THÉSÉE

1180 Quoi, craignez-vous déjà qu'ils ne soient écoutés ?
Joignez-vous bien plutôt à mes vœux légitimes.
Dans toute leur noirceur retracez-moi ses crimes.
Échauffez mes transports [1] trop lents, trop retenus.
Tous ses crimes encor ne vous sont pas connus.
Sa fureur [2] contre vous se répand en injures [3].
Votre bouche, dit-il, est pleine d'impostures [4].
Il soutient qu'Aricie a son cœur, a sa foi [5],
Qu'il l'aime.

PHÈDRE

Quoi, Seigneur !

THÉSÉE

Il l'a dit devant moi.
Mais je sais rejeter un frivole artifice [6].
1190 Espérons de Neptune une prompte justice.
Je vais moi-même encore au pied de ses autels
Le presser d'accomplir ses serments immortels.

---

1. *Transport* : voir lexique, p 175. \ 2. *Fureur* : voir lexique, p. 175. \ 3. *Injure* : « offense volontaire qu'on fait à quelqu'un [en transgressant] la défense de la loi » (*Dictionnaire* de Richelet, 1680). Cette acception provient de l'étymologie : *injuria* (du préfixe négatif *in* et de *jus*, « le droit, la justice ») signifie en latin « injustice, violation du droit, tort, dommage », puis tardivement « parole blessante ». *Injure* appartient ainsi à la même famille que *justice*. \ 4. *Imposture* : « calomnie, ce que l'on impute faussement à quelqu'un dans le dessein de lui nuire » (*Dictionnaire de l'Académie*, 1694). \ 5. *Foi* : voir lexique, p. 175. \ 6. *Frivole artifice* : une pauvre ruse ; *frivole* signifie « vain, et léger, qui n'a nulle solidité » (*Dictionnaire de l'Académie*, 1694).

Scène 5

PHÈDRE *seule.*

Il sort. Quelle nouvelle a frappé mon oreille ?
Quel feu mal étouffé dans mon cœur se réveille ?
Quel coup de foudre, ô ciel ! et quel funeste avis[1] !
Je volais toute[2] entière au secours de son fils :
Et m'arrachant des bras d'Œnone épouvantée,
Je cédais au remords dont j'étais tourmentée[3].
Qui sait même où m'allait porter ce repentir ?
1200 Peut-être à m'accuser j'aurais pu consentir,
Peut-être si la voix ne m'eût été coupée,
L'affreuse vérité me serait échappée[4].
Hippolyte est sensible[5], et ne sent rien pour moi !
Aricie a son cœur ! Aricie a sa foi[6] !
Ah dieux ! Lorsqu'à mes vœux l'ingrat inexorable
S'armait d'un œil si fier[7], d'un front[8] si redoutable,
Je pensais qu'à l'amour son cœur toujours fermé
Fût[9] contre tout mon sexe également armé.
Une autre cependant a fléchi son audace[10].

---

1. *Avis* : signifie ici « information, nouvelle » (*Dictionnaire* de Littré). \ **2.** *Toute entière* : au XVIIᵉ siècle, *tout*, employé comme adverbe, est variable en genre et en nombre. Il le demeure encore dans certains cas. Dans le cas présent, le français moderne commanderait « tout entière ». \ **3.** *Tourmentée* : torturée. Ce sens fort provient de l'un des sens concrets du latin *tormentum*, à savoir « instrument de torture », d'où « torture physique ou morale ». \ **4.** Sur l'emploi de l'auxiliaire *être* : voir note 5, p. 44. \ **5.** *Sensible* : accessible au sentiment, et plus précisément doué d'une sensibilité amoureuse. Le verbe *sentir*, au second hémistiche, est à entendre de même, au sens de « sentir quelque chose pour quelqu'un, être disposé à l'aimer, ou l'aimer déjà » (*Dictionnaire* de Littré). \ **6.** *Foi* : voir lexique, p. 175. \ **7.** *Fier* : voir lexique, p. 175. \ **8.** *Front* : voir lexique, p. 175. \ **9.** Après les verbes d'opinion (« je pensais »), la langue classique accepte le subjonctif pour marquer la fausseté de la croyance. \ **10.** *Audace* : « mouvement de l'âme qui porte à des actions extraordinaires, au mépris des obstacles et des dangers » ; en l'occurrence, « insensibilité » (*Dictionnaire* de Littré). *Audace* est à entendre en lien avec la métaphore de la guerre d'amour et la figure d'un Hippolyte digne « fils de l'Amazone » (v. 262).

1210 Devant ses yeux cruels [1] une autre a trouvé grâce.
Peut-être a-t-il un cœur facile à s'attendrir.
Je suis le seul objet [2] qu'il ne saurait souffrir.
Et je me chargerais du soin de le défendre ?

Scène 6

PHÈDRE, ŒNONE

PHÈDRE

Chère Œnone, sais-tu ce que je viens d'apprendre ?

ŒNONE

Non. Mais je viens tremblante, à ne vous point mentir.
J'ai pâli du dessein qui vous a fait sortir.
J'ai craint une fureur [3] à vous-même fatale [4].

PHÈDRE

Œnone, qui l'eût cru ? J'avais une rivale !

ŒNONE

Comment ?

PHÈDRE

Hippolyte aime, et je n'en puis douter.
1220 Ce farouche ennemi qu'on ne pouvait dompter,
Qu'offensait le respect, qu'importunait la plainte,
Ce tigre, que jamais je n'abordai sans crainte,
Soumis, apprivoisé reconnaît un vainqueur.
Aricie a trouvé le chemin de son cœur.

---

1. *Cruel* : voir lexique, p. 175. \ **2.** *Objet* : voir lexique, p. 175. \ **3.** *Fureur* : voir lexique, p. 175. \ **4.** *Fatale* : voir lexique, p. 175.

ŒNONE

Aricie ?

PHÈDRE

Ah, douleur non encore éprouvée !
À quel nouveau tourment [1] je me suis réservée !
Tout ce que j'ai souffert, mes craintes, mes transports [2],
La fureur de mes feux, l'horreur de mes remords,
Et d'un cruel refus l'insupportable injure [3]
1230 N'était [4] qu'un faible essai [5] du tourment que j'endure.
Ils s'aiment ! Par quel charme [6] ont-ils trompé mes yeux ?
Comment se sont-ils vus ? Depuis quand ? Dans quels lieux ?
Tu le savais. Pourquoi me laissais-tu séduire [7] ?
De leur furtive [8] ardeur ne pouvais-tu m'instruire ?
Les a-t-on vus [9] souvent se parler, se chercher ?
Dans le fond des forêts allaient-ils se cacher ?
Hélas ! Ils se voyaient avec pleine licence [10].
Le ciel de leurs soupirs approuvait l'innocence.
Ils suivaient sans remords leur penchant amoureux.
1240 Tous les jours se levaient clairs et sereins pour eux.
Et moi, triste rebut [11] de la nature entière,
Je me cachais au jour, je fuyais la lumière.

---

1. *Tourment* : grande souffrance, physique ou morale ; supplice. \ **2.** *Transport* : voir lexique, p. 175. \ **3.** *Injure* : outrage. \ **4.** Sur l'accord du verbe au singulier : voir note 2, p. 43. \ **5.** *Essai* : première expérience, premiers commencements, avant-goût. \ **6.** *Charme* : voir lexique, p. 175. \ **7.** *Séduire* : voir lexique, p. 175. \ **8.** *Furtif* : « ne se dit guère qu'en Poésie et dans [certaines expressions :] [...] *de furtives amours,* pour dire des amours dont on jouit en cachette » (*Dictionnaire de l'Académie*, 1694). \ **9.** Les éditions du XVIIᵉ siècle donnent *vu*. L'usage restait alors très variable concernant l'accord du participe passé avec l'auxiliaire *avoir*. En l'occurrence, la construction avec le verbe *voir* au XVIIᵉ siècle présente des cas d'accord et des cas de non-accord du participe (Vaugelas demande l'invariabilité). \ **10.** *Licence* : « liberté de faire donnée par permission » (*Dictionnaire* de Littré). \ **11.** *Rebut* : personne rejetée, dédaignée.

La mort [1] est le seul dieu que j'osais implorer.
J'attendais le moment où j'allais expirer,
Me nourrissant de fiel [2], de larmes abreuvée.
Encor [3] dans mon malheur de trop près observée,
Je n'osais dans mes pleurs me noyer à loisir,
Je goûtais en tremblant ce funeste [4] plaisir.
Et sous un front [5] serein déguisant mes alarmes [6],
1250 Il fallait bien souvent me priver de mes larmes [7].

ŒNONE

Quel fruit recevront-ils de leurs vaines amours [8] ?
Ils ne se verront plus.

PHÈDRE

              Ils s'aimeront toujours.
Au moment que [9] je parle, ah mortelle pensée !
Ils bravent la fureur [10] d'une amante insensée.
Malgré ce même exil [11] qui va les écarter [12],
Ils font mille serments de ne se point quitter.
Non, je ne puis souffrir un bonheur qui m'outrage,

---

1. La *Mort*, ou Thanatos, en grec, est une divinité mythologique qui apparaît parfois comme personnage sur la scène de théâtre : ainsi dans l'*Alceste* d'Euripide, où Héraclès (Hercule) soutient un combat contre lui (la mort est un génie masculin). Certains éditeurs choisissent, pour cette raison, de conserver à « mort » la majuscule, qu'on trouve par exemple dans l'édition de 1677. Cependant, au XVIIᵉ siècle, l'usage de la majuscule est plus étendu et elle est fréquente pour les noms communs. \ **2.** *Fiel* : nom que l'on donne parfois à la bile, mais au figuré, le terme signifie « amertumes, chagrins, peine » (*Dictionnaire* de Littré). \ **3.** *Encor* : voir note 3, p. 31. \ **4.** *Funeste* : voir lexique, p. 175. \ **5.** *Front* : voir lexique, p. 175. \ **6.** *Alarmes* : voir lexique, p. 175. \ **7.** Il semble, à la lecture de la *Dissertation sur les tragédies Phèdre et Hippolyte*, qu'une partie de cette longue tirade (v. 1237-1250), ainsi que de la suivante (v. 1264-1290), appartenait à l'origine au monologue de Phèdre à la scène précédente. \ **8.** *Amours* : voir lexique, p. 175. \ **9.** *Au moment que* : au moment où. \ **10.** *Fureur* : voir lexique, p. 175. \ **11.** *Ce même exil* : la langue classique ne distingue pas les valeurs de *même* selon sa position, comme le fait le français moderne qui commanderait *cet exil même*. \ **12.** *Écarter* : éloigner et, plus précisément en l'occurrence, séparer.

Œnone. Prends pitié de ma jalouse rage[1].
Il faut perdre[2] Aricie. Il faut de mon époux
1260 Contre un sang odieux[3] réveiller le courroux.
Qu'il ne se borne pas à des peines légères.
Le crime de la sœur passe[4] celui des frères.
Dans mes jaloux transports[5] je le veux implorer.
Que fais-je ? Où ma raison se va-t-elle égarer ?
Moi jalouse ! Et Thésée est celui que j'implore !
Mon époux est vivant, et moi je brûle encore !
Pour qui ? Quel est le cœur où prétendent mes vœux ?
Chaque mot sur mon front fait dresser mes cheveux[6].
Mes crimes désormais ont comblé[7] la mesure.
1270 Je respire[8] à la fois l'inceste et l'imposture[9].
Mes homicides mains promptes à me venger,
Dans le sang innocent brûlent de se plonger.
Misérable ! Et je vis ? Et je soutiens la vue
De ce sacré soleil[10] dont je suis descendue ?

---

1. *Rage* : emportement violent, passion furieuse. Les six premiers vers de la tirade, ainsi que d'autres vers de la scène, présentent des réminiscences de l'*Ariane* (1672) de Thomas Corneille (V, 5, en l'occurrence). La Champmeslé, qui créa le rôle de *Phèdre* à la scène, tenait le rôle d'Ariane dans la pièce de Corneille. \ 2. *Perdre* : « signifie aussi, ruiner : et en ce sens il se dit de tout ce qui peut causer du préjudice à la fortune de quelqu'un, à sa réputation, à sa santé, etc. » (*Dictionnaire de l'Académie*, 1694). Les vers suivants permettent de préciser le sens de *perdre* dans le contexte : il s'agit de faire périr Aricie. \ 3. *Contre un sang odieux* : contre une famille haïe. \ 4. *Passe* : dépasse, surpasse. Le « crime » des Pallantides (voir lexique, p. 185), frères d'Aricie, est d'avoir conspiré contre Thésée. Ce dernier les a massacrés pour cela. \ 5. *Transports* : voir lexique, p. 175. \ 6. Telle est la définition première de l'*horreur* : voir lexique, p. 175. \ 7. *Combler* : voir lexique, p. 175. \ 8. *Je respire à la fois l'inceste et l'imposture* : *respirer* a pour sens « exhaler » selon le *Dictionnaire* de Littré, mais *l'inceste et l'imposture* sont également à présent le seul air qui fait « respire [r] » l'âme de Phèdre. Le verbe « signifie encore figurément souhaiter ardemment, aimer avec passion. Ainsi l'on dit, *Il ne respire que la vengeance*. [...] *Il ne respire que la guerre, que le sang*. En ce sens il est encore actif, et ne s'emploie guère qu'avec la négative » (*Dictionnaire de l'Académie*, 1694). \ 9. *Imposture* : voir lexique, p. 175. \ 10. *Sacré soleil* : soleil sacré (sur la place de l'adjectif, voir note 5, p. 81). Phèdre est la fille de Pasiphaé, elle-même fille du Soleil (Hélios).

J'ai pour aïeul le père et le maître des dieux [1].
Le ciel, tout l'univers est plein de mes aïeux.
Où me cacher ? Fuyons dans la nuit infernale [2].
Mais que dis-je ? Mon père y tient l'urne fatale [3].
Le sort [4], dit-on, l'a mise en ses sévères mains.
Minos juge aux enfers tous les pâles [5] humains.
Ah ! combien frémira son ombre [6] épouvantée,
Lorsqu'il verra la fille à ses yeux présentée,
1280 Contrainte d'avouer tant de forfaits divers,

---

1. Minos, le père de Phèdre, passait pour le fils de Jupiter (Zeus, « le père et le maître des dieux ») et d'Europe. \ **2.** *Infernal* : des Enfers. La personnification des ténèbres infernales dans la mythologie est Érèbe, frère de Nyx (la Nuit). Les vers 1273-1277 sont inspirés par les propos de la nourrice dans la *Phèdre* de Sénèque (v. 154-158). À partir de ce vers, la tirade de Phèdre est particulièrement empreinte de réminiscences chrétiennes qui favorisent une lecture janséniste de la pièce. « Où me cacher ? » rappelle ainsi un passage de l'office des morts, inspiré par le psaume CXXXVIII : « *Ubi me abscondam a vultu irae tuae* » (« Où me cacherais-je du visage de Ta colère ? »). \ **3.** L'*urne fatale* de Minos, juge des Enfers, provient de la description des Enfers dans l'*Énéide* de Virgile : « Là, Minos, qui s'instruit de leur vie passée, et de leurs déportements [*i. e.* conduites], remue le vase qu'il tient en sa main, et assemble le conseil des Esprits qui gardent le silence, pour s'informer de leurs actions, et apprendre les crimes dont ils sont accusés » (VI, v. 432-433, trad. M. de Marolles, 1662). On distingue parfois deux Minos, le juge des Enfers, et son petit-fils, époux de Pasiphaé et père de Phèdre et d'Ariane, que Racine confond conformément à une autre tradition. \ **4.** *Le sort* : les Romains vénéraient la déesse *Sors*, personnification du sort, délivrant à chacun sa part de maux et de biens. Elle était représentée sous les traits d'une jeune fille parée avec pour attribut une petite boîte carrée, destinée au tirage au sort. Pour cette raison, certains éditeurs choisissent de conserver la majuscule à « sort » (sur l'usage de la majuscule au XVIIᵉ siècle, voir note 1, p. 94). La représentation de Minos en juge des Enfers et à l'« urne fatale » dans l'*Énéide* de Virgile ne mentionne pas ce point. \ **5.** L'adjectif *pâle* est peut-être inspiré par le participe *pallens* du verbe *pallere* (« être pâle ») employé dans l'*Énéide* (VI, v. 480) de Virgile pour signifier l'état fantomatique du peuple des morts. Les commentateurs ont également établi un rapprochement avec la paraphrase française du *Dies irae* (séquence de la liturgie des défunts sur le thème de la colère divine et du jugement dernier) par le janséniste Lemaître de Sacy : « [...]/Aux pieds du Créateur, la pâle créature,/Attendra pour jamais ou les biens ou les maux » (*Heures de Port-Royal*, 1650, v. 11-12). Ainsi le jugement de Minos présente-t-il des affinités avec le jugement dernier qui, selon les trois religions monothéistes, est le moment où chaque homme comparaîtra devant Dieu et verra ses actions jugées par lui. \ **6.** *Ombre* : voir note 6, p. 42.

Et des crimes peut-être inconnus aux enfers ?
Que diras-tu, mon père, à ce spectacle horrible[1] ?
Je crois voir de ta main tomber l'urne terrible.
Je crois te voir cherchant un supplice nouveau,
Toi-même de ton sang[2] devenir le bourreau.
Pardonne[3]. Un dieu cruel[4] a perdu ta famille.
1290 Reconnais sa vengeance aux fureurs[5] de ta fille.
Hélas ! Du crime affreux[6] dont la honte me suit[7],
Jamais mon triste[8] cœur n'a recueilli le fruit.
Jusqu'au dernier soupir de malheurs poursuivie,
Je rends dans les tourments[9] une pénible vie.

ŒNONE

Hé ! repoussez, Madame, une injuste[10] terreur.
Regardez d'un autre œil une excusable erreur.
Vous aimez. On ne peut vaincre sa destinée.
Par un charme fatal vous fûtes entraînée[11].
Est-ce donc un prodige inouï parmi nous ?
1300 L'amour n'a-t-il encor triomphé que de vous ?
La faiblesse aux humains n'est que trop naturelle.
Mortelle, subissez le sort d'une mortelle.

---

1. *Horrible* : voir lexique, p. 175. Georges Forestier remarque que la formule inverse la perspective du *Dies irae* : « Que répondrai-je, hélas ! à ce Juge terrible ? » (*Dies irae*, Lemaistre de Sacy, 1650, v. 19). \ **2.** *Sang* : voir lexique, p. 175. \ **3.** *Pardonne* évoque « *Supplicanti parce Deus* » (« À celui qui l'implore, pardonne Seigneur »), parole du *Dies irae* (voir ci-dessus note 2). \ **4.** *Un dieu cruel* : Vénus est désignée comme la déesse responsable du malheur de Phèdre. Le masculin surprend : il peut avoir une valeur générique, désigner Cupidon (Éros), le dieu archer, fils de Vénus, qui inspire l'amour dans les cœurs par ses flèches, et encore favoriser l'analogie avec le Dieu biblique, parfois vengeur et justicier (voir le vers 1290). \ **5.** *Fureurs* : voir lexique, p. 175. \ **6.** *Affreux* : voir lexique, p. 175. \ **7.** *Suit* : poursuit. \ **8.** *Triste* : voir lexique, p. 175. \ **9.** *Tourments* : voir lexique, p. 175. \ **10.** *Injuste* : « déraisonnable et mal fondé » (*Dictionnaire* de Littré). \ **11.** Œnone formule là une définition de la destinée tragique : la fatalité, profération inexorable, emporte le héros tragique aussi puissamment qu'une incantation magique.

Vous vous plaignez d'un joug[1] imposé dès[2] longtemps.
Les dieux même, les dieux, de l'Olympe[3] habitants,
Qui d'un bruit[4] si terrible épouvantent les crimes[5],
Ont brûlé quelquefois de feux illégitimes[6].

PHÈDRE

Qu'entends-je ? Quels conseils ose-t-on me donner ?
Ainsi donc jusqu'au bout tu veux m'empoisonner,
Malheureuse ? Voilà comme tu m'as perdue.
1310 Au jour que je fuyais c'est toi qui m'as rendue.
Tes prières m'ont fait oublier mon devoir.
J'évitais Hippolyte, et tu me l'as fait voir.
De quoi te chargeais-tu ? Pourquoi ta bouche impie
A-t-elle en l'accusant osé noircir sa vie ?
Il en mourra peut-être, et d'un père insensé
Le sacrilège vœu peut-être est exaucé.
Je ne t'écoute plus. Va-t'en, monstre exécrable.
Va, laisse-moi le soin de mon sort déplorable[7].
Puisse le juste ciel dignement te payer.
1320 Et puisse ton supplice à jamais effrayer

---

1. *Joug* : voir lexique, p. 175. \ **2.** *Dès* : depuis. \ **3.** La mythologie situe sur le mont *Olympe*, en Thessalie, la demeure des dieux du règne de Jupiter (Zeus). L'Olympe est aussi plus généralement, et sans référent géographique, une manière de désigner la demeure céleste de ces dieux. \ **4.** *Bruit* peut avoir le sens de « rumeur » et désigne en l'occurrence les légendes terrifiantes sur les criminels suppliciés aux Enfers. *Bruit* peut aussi posséder un sens concret et se référer au fracas du tonnerre lors du foudroiement des criminels (voir le vers 1045 ; voir Euripide, *Hippolyte*, v. 683-684), comme dans le mythe des Titans foudroyés par Jupiter (Zeus). Le mot « foudre » désigne, de fait, au sens figuré, parfois au masculin et parfois au féminin, « la colère, la vengeance divine » (*Dictionnaire* de Littré). \ **5.** Racine utilise une synecdoque en usant de l'abstrait, *les crimes*, pour le concret, *les criminels*. \ **6.** Les vers 1302-1307 sont inspirés par l'argumentation de la nourrice dans l'*Hippolyte* d'Euripide (v. 439-458). Jupiter (Zeus), mari de Junon (Héra), par ses maintes aventures galantes, pourrait illustrer l'argumentation de la nourrice. \ **7.** *Déplorable* : voir lexique, p. 175.

Tous ceux qui, comme toi, par de lâches adresses [1],
Des princes malheureux nourrissent les faiblesses,
Les poussent au penchant où leur cœur est enclin,
Et leur osent du crime aplanir le chemin ;
Détestables flatteurs, présent le plus funeste [2]
Qui puisse faire aux rois la colère céleste [3].

ŒNONE, *seule.*

Ah dieux ! Pour la servir j'ai tout fait, tout quitté.
Et j'en reçois ce prix ? Je l'ai bien mérité.

Fin du quatrième acte.

---

1. *Adresses* : ruses, artifices. \ **2.** *Funeste* : voir lexique, p. 175. \ **3.** Les vers 1325-1326 font écho aux vers 486-487 de l'*Hippolyte* d'Euripide, où Phèdre reconnaît dans les conseils de la nourrice le funeste pouvoir de la flatterie sur les familles et les cités. Dans cette tirade, Racine se souvient plus généralement des reproches que Phèdre, au moment de mourir, fait à la nourrice et du congé qu'elle lui donne chez Euripide (*Hippolyte porte-couronne*, v. 679-709).

Acte V

Scène première

HIPPOLYTE, ARICIE, [ISMÈNE] [1]

ARICIE

Quoi, vous pouvez vous taire en ce péril extrême ?
1330 Vous laissez dans l'erreur un père qui vous aime ?
Cruel [2], si de mes pleurs méprisant le pouvoir,
Vous consentez sans peine à ne me plus revoir,
Partez, séparez-vous de la triste [3] Aricie.
Mais du moins en partant assurez [4] votre vie.
Défendez votre honneur d'un reproche honteux,
Et forcez votre père à révoquer [5] ses vœux.
Il en est temps encor [6]. Pourquoi ? Par quel caprice,
Laissez-vous le champ libre à votre accusatrice ?
Éclaircissez [7] Thésée.

---

1. Dans les éditions anciennes, Ismène n'est pas mentionnée dans la liste des personnages de la scène. Cependant, à la scène suivante, le vers 1413 confirme sa présence dès la première scène de l'acte. \ **2.** *Cruel* : voir lexique, p. 175. \ **3.** *Triste* : voir lexique, p. 175. \ **4.** *Assurer* : « mettre en sûreté » (*Dictionnaire* de Littré). \ **5.** *Révoquer* : « signifie aussi, déclarer qu'on ne veut plus qu'une chose qu'on a ordonnée ou promise ait lieu, soit exécutée » (*Dictionnaire de l'Académie*, 1694). \ **6.** *Encor* : sur l'orthographe de *encor*, voir note 3, p. 31. \ **7.** *Éclaircir* : « instruire de quelque chose que l'on ne savait pas » (*Dictionnaire* de Richelet, 1680).

HIPPOLYTE

Hé ! que n'ai-je point dit ?

1340 Ai-je dû[1] mettre au jour[2] l'opprobre de son lit[3] ?

Devais-je, en lui faisant un récit trop sincère[4],

D'une indigne rougeur couvrir le front d'un père ?

Vous seule avez percé ce mystère odieux[5].

Mon cœur pour s'épancher n'a que vous et les dieux.

Je n'ai pu vous cacher, jugez si je vous aime,

Tout ce que je voulais me cacher à moi-même.

Mais songez sous quel sceau[6] je vous l'ai révélé.

Oubliez, s'il se peut, que je vous ai parlé,

Madame. Et que jamais une bouche si pure

1350 Ne s'ouvre pour conter cette horrible[7] aventure.

Sur l'équité des dieux osons nous confier[8].

Ils ont trop d'intérêt à me justifier[9].

Et Phèdre tôt ou tard de son crime punie,

N'en saurait éviter la juste ignominie[10].

C'est l'unique respect[11] que j'exige de vous.

Je permets tout le reste à mon libre courroux.

Sortez de l'esclavage où vous êtes réduite.

Osez me suivre. Osez accompagner ma fuite.

---

1. *Ai-je dû* : aurais-je dû. Dans la langue classique, l'imparfait de l'indicatif des auxiliaires de modalité *devoir* et *pouvoir* peut avoir valeur de conditionnel. \ **2.** *Mettre une chose au jour* : « la divulguer, la rendre publique » (*Dictionnaire* de Littré). \ **3.** *L'opprobre de son lit* : son extrême déshonneur conjugal. \ **4.** *Sincère* : « véritable, franc, qui est sans artifice, sans déguisement. […] *un discours sincère. Un récit, une relation, un aveu sincère* » (*Dictionnaire de l'Académie*, 1694). \ **5.** *Odieux* : voir lexique, p. 175. \ **6.** C'est-à-dire sous le sceau du secret. \ **7.** *Horrible* : voir lexique, p. 175. \ **8.** C'est-à-dire : osons nous en remettre à l'équité des dieux. Selon l'héritage de l'ancien français, la préposition *sur* introduit encore, au XVIIᵉ siècle, de nombreux compléments de verbe. \ **9.** *Justifier* : voir lexique, p. 175. \ **10.** *Juste ignominie* : extrême et légitime déshonneur. *Ignominie* signifie « grand déshonneur, grande honte » (*Dictionnaire de l'Académie*, 1694). \ **11.** *Respect* : « égard, considération. […] Il vieillit en ce sens hormis dans les exemples suivants [:] *Le respect humain ne doit pas empêcher qu'on ne fasse son devoir. Les respects humains* » (*Dictionnaire de l'Académie*, 1694).

Arrachez-vous d'un lieu funeste [1] et profané,

1360 Où la vertu respire un air empoisonné.

Profitez, pour cacher votre prompte retraite [2],

De la confusion que ma disgrâce y jette.

Je vous puis de la fuite assurer [3] les moyens,

Vous n'avez jusqu'ici de gardes que les miens.

De puissants défenseurs prendront notre querelle [4].

Argos nous tend les bras, et Sparte [5] nous appelle.

À nos amis communs portons nos justes cris [6].

Ne souffrons pas que Phèdre assemblant nos débris [7]

Du trône paternel [8] nous chasse l'un et l'autre,

1370 Et promette à son fils ma dépouille [9] et la vôtre.

L'occasion est belle, il la faut embrasser [10].

Quelle peur vous retient ? Vous semblez balancer [11] ?

Votre seul intérêt m'inspire cette audace.

---

1. *Funeste* : voir lexique, p. 175. \ 2. *Retraite* : « action de se retirer » (*Dictionnaire de l'Académie*, 1694). \ 3. *Assurer* : « rendre une chose sûre, faire qu'elle ne manque pas » (*Dictionnaire* de Littré). Sur la place du pronom personnel complément de l'infinitif, voir note 4, p. 60. \ 4. « *Prendre la querelle de quelqu'un*, pour dire, prendre le parti de quelqu'un contre ceux avec qui il a querelle » (*Dictionnaire de l'Académie*, 1694). *Querelle* « se dit aussi de l'intérêt d'autrui quand on en prend la défense » (*Dictionnaire* de Furetière, 1690). En latin, *querela* désigne la plainte et, par suite, la cause d'un plaignant. \ 5. Cités du Péloponnèse, *Argos* et *Sparte* étaient des rivales d'Athènes. \ 6. *Justes cris* : *cri* « se prend figurément pour les plaintes et les gémissements des personnes qui sont dans l'oppression » (*Dictionnaire de l'Académie*, 1694). Pour *juste*, voir lexique, p. 175. \ 7. Les commentateurs hésitent entre deux interprétations : soit que *débris* signifie figurément ce qui reste de ce qui a été détruit » (*Dictionnaire* de Littré), soit que le terme signifie « perte, destruction, ruine » (*ibid.*). Dans le premier cas, il s'agit pour Phèdre de se saisir des restes de l'héritage d'Aricie et d'Hippolyte ; dans le second, de profiter de leur double ruine. \ 8. *Trône paternel* : du côté d'Hippolyte, il s'agit du trône de son père, Thésée ; du côté d'Aricie, des droits de son père Pallante (ou Pallas), fils de Pandion, roi d'Athènes (voir lexique, p. 185). \ 9. *Dépouille* dérive du verbe *dépouiller*, du latin *despoliare*, qui signifie « piller » et plus précisément « priver de ses vêtements ». En français les *dépouilles* sont d'abord le butin dont l'ennemi s'empare, d'où le sens de « toute chose dont on s'empare au détriment d'autrui » (*Dictionnaire* de Littré). « On dit figurément d'un homme [...] qui a eu la succession d'un autre, qu'*il en a eu sa dépouille* » (*Dictionnaire de l'Académie*, 1694). \ 10. *Embrasser* : voir lexique, p. 175. \ 11. *Balancer* : hésiter.

Quand je suis tout de feu, d'où vous vient cette glace[1] ?
Sur les pas d'un banni craignez-vous de marcher ?

ARICIE

Hélas ! qu'un tel exil, Seigneur, me serait cher[2] !
Dans quels ravissements, à votre sort liée
Du reste des mortels je vivrais oubliée !
Mais n'étant point unis par un lien si doux[3],
1380 Me puis-je avec honneur dérober[4] avec vous ?
Je sais que sans blesser l'honneur le plus sévère,
Je me puis affranchir[5] des mains de votre père.
Ce n'est point m'arracher du sein de mes parents.
Et la fuite est permise à qui fuit ses tyrans[6].
Mais vous m'aimez, Seigneur. Et ma gloire alarmée[7]...

HIPPOLYTE

Non, non, j'ai trop de soin de votre renommée.
Un plus noble dessein m'amène devant vous.
Fuyez vos ennemis, et suivez votre époux.
Libres[8] dans nos malheurs, puisque le ciel l'ordonne,
1390 Le don de notre foi[9] ne dépend de personne.

---

1. *Glace :* « se prend aussi figurément pour la froideur qui est dans le cœur, dans les actions, sur le visage, etc. » (*Dictionnaire de l'Académie*, 1694). \ **2.** Cas de rime normande : voir note 1, p. 77. \ **3.** La langue classique fait preuve d'une grande liberté dans l'usage des participes présents, malgré les observations des grammairiens. En l'occurrence, le participe présent n'est pas rattaché comme le demanderait la langue moderne au sujet de la phrase, et la construction, à valeur causale, rappelle celle de l'ablatif absolu en latin. \ **4.** *Se dérober :* « s'échapper. S'enfuir secrètement et sans être aperçu. Se sauver de quelque chose de fâcheux » (*Dictionnaire* de Richelet, 1680). \ **5.** *Affranchir :* délivrer, libérer. \ **6.** *Tyran :* « par extension [...] se dit de tous ceux qui tyrannisent » (*Dictionnaire* de Littré). \ **7.** *Ma gloire alarmée :* mon honneur inquiet. \ **8.** *Libres :* l'adjectif, épithète détachée placée en début de phrase, ne se rapporte pas au sujet de la phrase, comme le voudrait l'exigence de clarté, mais est construit avec la même liberté qu'un participe peut l'être en français classique : en l'occurrence, il se rattache librement au reste de l'énoncé, à travers l'idée d'un *nous* contenue dans « nos malheurs » et « notre foi ». \ **9.** *Foi :* « foi conjugale, la promesse de fidélité que les deux époux se font au moment du mariage » (*Dictionnaire* de Littré). Voir lexique, p. 175.

L'hymen[1] n'est point toujours entouré de flambeaux[2].

Aux portes de Trézène, et parmi ces tombeaux,

Des princes de ma race antiques sépultures,

Est un temple sacré formidable[3] aux parjures.

C'est là que les mortels n'osent jurer en vain[4].

Le perfide[5] y reçoit un châtiment soudain.

Et craignant d'y trouver la mort inévitable[6],

Le mensonge n'a point de frein plus redoutable.

Là, si vous m'en croyez, d'un amour éternel

1400 Nous irons confirmer[7] le serment solennel.

Nous prendrons à témoin le dieu qu'on y révère.

Nous le prierons tous deux de nous servir de père.

Des dieux les plus sacrés j'attesterai[8] le nom.

Et la chaste Diane, et l'auguste Junon[9],

Et tous les dieux enfin témoins de mes tendresses

Garantiront la foi[10] de mes saintes promesses.

ARICIE

Le roi vient. Fuyez, Prince, et partez promptement.

Pour cacher mon départ je demeure un moment.

Allez, et laissez-moi quelque fidèle guide,

1410 Qui conduise vers vous ma démarche timide[11].

---

1. *Hymen* : voir lexique, p. 175. \ **2.** Dans l'Antiquité, les flambeaux constituaient un acces-soire rituel dans les mariages. \ **3.** *Formidable* : « redoutable, qui est à craindre » (*Dictionnaire de l'Académie*, 1694), sens étymologique. \ **4.** *En vain* : dans le vide, pour rien. \ **5.** *Perfide* : voir lexique, p. 175. \ **6.** Libre construction du participe présent possible au XVIIᵉ siècle. \ **7.** *Confir-mer* : sanctionner. \ **8.** *Attester* : « se prend aussi, pour prendre à témoin [...] On dit, dans le même sens, *attester le ciel*. Et poétiquement, *attester les Dieux* » (*Dictionnaire de l'Académie*, 1694). \ **9.** *Diane* (Artémis) est la déesse de la chasse, éternellement vierge (« la chaste Diane »). C'est la seule Artémis que révère Hippolyte dans l'*Hippolyte* d'Euripide, ce qui déclenche la colère et la vengeance d'Aphrodite (Vénus), qui vont causer sa mort. *Junon* (Héra), femme de Jupiter (Zeus), est la plus grande déesse olympienne (« auguste Junon ») ; protectrice des femmes et plus précisément des épouses, elle préside aux mariages. Pour *auguste*, voir lexique, p. 175. \ **10.** *Foi* : voir lexique, p. 175. \ **11.** *Démarche timide* : *démarche* signifie « marche (du style poétique en ce sens) » (*Dictionnaire* de Littré) ; *timide* : craintive, selon le sens étymologique (latin le verbe, *timere* signifie « craindre »).

Scène 2

THÉSÉE, ARICIE, ISMÈNE

THÉSÉE

Dieux, éclairez[1] mon trouble, et daignez à mes yeux
Montrer la vérité, que je cherche en ces lieux.

ARICIE

Songe à tout, chère Ismène, et sois prête à la fuite.

Scène 3

THÉSÉE, ARICIE

THÉSÉE

Vous changez de couleur, et semblez interdite[2],
Madame. Que faisait Hippolyte en ce lieu ?

ARICIE

Seigneur, il me disait un éternel adieu.

THÉSÉE

Vos yeux ont su dompter ce rebelle courage[3].
Et ses premiers soupirs sont votre heureux ouvrage.

ARICIE

Seigneur, je ne vous puis nier la vérité.
1420 De votre injuste haine il n'a pas hérité.
Il ne me traitait point comme une criminelle.

---

1. *Éclairer* : « est aussi neutre, et signifie apporter de la lumière à quelqu'un pour lui faire voir clair » (*Dictionnaire de l'Académie*, 1694). \ **2.** *Interdite* : voir lexique, p. 175. \ **3.** *Courage* : voir lexique, p. 175.

THÉSÉE

J'entends[1], il vous jurait une amour[2] éternelle.

Ne vous assurez point sur[3] ce cœur inconstant.

Car à d'autres que vous il en jurait autant.

ARICIE

Lui, Seigneur ?

THÉSÉE

Vous deviez[4] le rendre moins volage.

Comment souffriez-vous cet horrible partage[5] ?

ARICIE

Et comment souffrez-vous que d'horribles discours[6]

D'une si belle vie osent noircir[7] le cours ?

Avez-vous de son cœur si peu de connaissance ?

1430   Discernez-vous[8] si mal le crime et l'innocence ?

Faut-il qu'à vos yeux seuls un nuage odieux[9]

Dérobe sa vertu qui brille à tous les yeux ?

Ah ! c'est trop le livrer à des langues perfides.

Cessez. Repentez-vous de vos vœux homicides.

Craignez, seigneur, craignez que le ciel rigoureux[10]

Ne vous haïsse assez pour exaucer vos vœux.

---

1. *Entendre* : voir lexique, p. 175. \ **2.** *Amour* peut être féminin ou masculin dans la langue du XVIIᵉ siècle. \ **3.** *S'assurer sur* : être sûr de, mettre sa confiance en, se reposer sur. \ **4.** *Vous deviez* : vous auriez dû : voir note 3, p. 63. \ **5.** *Horrible* : voir lexique, p. 175. La *Dissertation sur les tragédies Phèdre et Hippolyte* fait état d'une autre version pour ces vers et précise que l'acteur les prononçait « le ton libre et joyeux », en accord avec « la manière railleuse et basse » de Thésée face à Aricie, manière propre à souligner que « ce Héros ne sait pas ce qu'il dit ». \ **6.** *Discours* : propos. \ **7.** *Noircir* : voir lexique, p. 175. \ **8.** *Discerner* : « séparer, distinguer » (*Dictionnaire* de Furetière, 1690). \ **9.** *Odieux* : voir lexique, p. 175. \ **10.** *Rigoureux* : sévère et plus précisément sévère dans son exactitude. Au XVIIᵉ siècle, *rigueur* signifie en effet « sévérité, dureté, austérité » et « aussi, grande exactitude, sévérité dans la Justice » (*Dictionnaire de l'Académie*, 1694). Selon le *Dictionnaire* de Littré, *le ciel rigoureux* est à entendre ici comme « la divinité qui punit ».

Souvent dans sa colère il reçoit [1] nos victimes.

Ses présents sont souvent la peine [2] de nos crimes.

THÉSÉE

Non, vous voulez en vain couvrir [3] son attentat [4].

1440 Votre amour vous aveugle en faveur de l'ingrat.

Mais j'en crois des témoins certains, irréprochables.

J'ai vu, j'ai vu couler des larmes véritables [5].

ARICIE

Prenez garde, Seigneur. Vos invincibles mains

Ont de monstres sans nombre affranchi [6] les humains.

Mais tout n'est pas détruit. Et vous en laissez vivre

Un... Votre fils, Seigneur, me défend de poursuivre.

Instruite [7] du respect qu'il veut vous conserver,

Je l'affligerais trop, si j'osais achever.

J'imite sa pudeur [8], et fuis votre présence

1450 Pour n'être pas forcée à [9] rompre le silence.

---

1. *Recevoir* : « signifie aussi accepter, agréer » (*Dictionnaire de l'Académie*, 1694). \ 2. *Peine* : « signifie aussi châtiment, punition d'un crime » (*Dictionnaire de l'Académie*, 1694). Cette acception est conforme au sens étymologique : en latin, *poena* signifie d'abord « compensation versée pour une faute ou un crime », et par suite, « rançon, amende, expiation, châtiment ». \ 3. « On dit se couvrir d'un prétexte, couvrir sa faute, pour dire s'excuser » (*Dictionnaire de l'Académie*, 1694). \ 4. *Attentat* : « entreprise contre les lois » (*Dictionnaire de l'Académie*, 1694). \ 5. *Véritables* : sincères. \ 6. *Affranchis* : délivrés, libérés. \ 7. *Instruire* : « signifie aussi informer, donner connaissance de quelque chose » (*Dictionnaire de l'Académie*, 1694). \ 8. *Pudeur* : « sorte de discrétion, de retenue, de modestie qui empêche de dire, d'entendre ou de faire certaines choses sans embarras » (*Dictionnaire* de Littré). \ 9. Le français classique possède une grande liberté dans la construction des compléments directs et indirects du verbe. En l'occurrence, pour de nombreux verbes, comme *forcer*, l'infinitif complément indirect peut être introduit par la préposition *à* ou la préposition *de*.

Scène 4

THÉSÉE, *seul*.

Quelle est donc sa pensée ? Et que cache un discours
Commencé tant de fois, interrompu toujours ?
Veulent-ils m'éblouir[1] par une feinte vaine[2] ?
Sont-ils d'accord tous deux, pour me mettre à la gêne[3] ?
Mais moi-même[4], malgré ma sévère rigueur,
Quelle plaintive voix crie au fond de mon cœur ?
Une pitié secrète et m'afflige, et m'étonne[5].
Une seconde fois interrogeons Œnone.
Je veux de tout le crime être mieux éclairci[6].
1460 Gardes. Qu'Œnone sorte et vienne seule ici.

Scène 5

THÉSÉE, PANOPE

PANOPE

J'ignore le projet que la reine médite,
Seigneur. Mais je crains tout du transport[7] qui l'agite.
Un mortel désespoir sur son visage est peint.
La pâleur de la mort est déjà sur son teint.

---

1. *Éblouir* : « Ce mot se dit au figuré, et signifie tromper, surprendre [*i. e.* abuser] l'esprit par de fausses raisons » (*Dictionnaire* de Richelet). \ **2.** *Vain* : « signifie aussi, frivole, chimérique, qui n'a aucun fondement solide et raisonnable » (*Dictionnaire de l'Académie*, 1694). \ **3.** *Gêne*, dont la forme ancienne *géhenne* a été confondue avec *géhenne* (nom de l'enfer biblique), signifie d'abord « torture, supplice », d'où « tourment moral ». Le terme conserve encore ces sens forts dans la langue classique. \ **4.** La construction est audacieuse : *moi-même* équivaut à « pour ce qui est de moi-même ». \ **5.** *Étonner* : saisir, effrayer. \ **6.** *Éclaircir* : voir lexique, p. 175. \ **7.** *Transport* : voir lexique, p. 175.

Déjà de sa présence avec honte chassée
Dans la profonde mer Œnone s'est lancée[1].
On ne sait point d'où part ce dessein furieux[2].
Et les flots pour jamais l'ont ravie à nos yeux.

THÉSÉE

Qu'entends-je ?

PANOPE

        Son trépas n'a point calmé la reine.
1470 Le trouble semble croître en son âme incertaine[3].
Quelquefois pour flatter[4] ses secrètes douleurs
Elle prend ses enfants, et les baigne de pleurs.
Et soudain renonçant à l'amour maternelle[5],
Sa main avec horreur les repousse loin d'elle[6].
Elle porte au hasard ses pas irrésolus.
Son œil tout égaré ne nous reconnaît plus.
Elle a trois fois écrit, et changeant de pensée
Trois fois elle a rompu[7] sa lettre commencée[8].
Daignez la voir, Seigneur, daignez la secourir.

---

1. Tel est aussi le destin de la confidente de Phèdre, Achrise, dans l'*Hippolyte* de Gilbert (1645). Cependant, dans cette pièce, l'annonce de sa mort intervient après celles d'Hippolyte et de Phèdre, tandis que Racine ménage une gradation dans les morts de l'acte V et choisit de situer la nouvelle de celle de la nourrice au moment où Thésée est saisi de doutes. La nourrice ne connaît de fin funeste ni dans l'*Hippolyte* d'Euripide, ni dans la *Phèdre* de Sénèque. \ **2.** *Dessein furieux* : décision violente, insensée. \ **3.** *Incertain* : « signifie quelquefois irrésolu » (*Dictionnaire de l'Académie*, 1694). \ **4.** « On dit, *flatter sa douleur* […] pour dire adoucir le sentiment de sa douleur […] par des imaginations agréables » (*Dictionnaire de l'Académie*, 1694). \ **5.** *Amour maternelle* : sur le genre du nom *amour*, voir lexique, p. 175. \ **6.** Le motif des enfants accueillis et repoussés est un souvenir probable de la *Médée* d'Euripide (v. 1069-1078). \ **7.** *Rompu* : déchiré. \ **8.** Le motif de la lettre reprise et interrompue constitue une réminiscence d'*Iphigénie en Aulis* du même Euripide (v. 5-44) ; il s'agit alors d'Agamemnon à qui les dieux demandent le sacrifice de sa fille.

THÉSÉE

1480 Ô ciel ! Œnone est morte, et Phèdre veut mourir ?
Qu'on rappelle mon fils, qu'il vienne se défendre,
Qu'il vienne me parler, je suis prêt de [1] l'entendre.
Ne précipite point tes funestes [2] bienfaits,
Neptune. J'aime mieux n'être exaucé jamais.
J'ai peut-être trop cru des témoins peu fidèles [3].
Et j'ai trop tôt vers toi levé mes mains cruelles [4].
Ah ! de quel désespoir mes vœux seraient suivis !

Scène 6

THÉSÉE, THÉRAMÈNE

THÉSÉE

Théramène, est-ce toi ? Qu'as-tu fait de mon fils ?
Je te l'ai confié dès l'âge le plus tendre.
1490 Mais d'où naissent les pleurs que je te vois répandre ?
Que fait mon fils ?

THÉRAMÈNE

Ô soins [5] tardifs, et superflus !
Inutile tendresse ! Hippolyte n'est plus [6].

THÉSÉE

Dieux !

---

1. *Prêt de* : prêt à, disposé à. La langue du XVIIᵉ siècle confond « prêt à » et « près de ». \ **2.** *Funeste* : voir lexique, p. 175. \ **3.** *Fidèles* : dignes de foi. \ **4.** *Cruel* : voir lexique, p. 175. \ **5.** *Soins* : voir lexique, p. 175. \ **6.** *Hippolyte n'est plus* : traduction de la réponse du messager à Thésée qui l'interroge dans l'*Hippolyte* d'Euripide (v. 1162).

THÉRAMÈNE

J'ai vu des mortels périr le plus aimable,
Et j'ose dire encor, Seigneur, le moins coupable.

THÉSÉE

Mon fils n'est plus ! Hé quoi ?[1] quand je lui tends les bras,
Les dieux impatients ont hâté son trépas ?
Quel coup me l'a ravi ? Quelle foudre soudaine ?

THÉRAMÈNE [2]

À peine nous sortions des portes de Trézène,
Il était sur son char. Ses gardes affligés
1500 Imitaient son silence, autour de lui rangés.
Il suivait tout pensif le chemin de Mycènes[3].
Sa main sur les chevaux[4] laissait flotter les rênes.
Ses superbes[5] coursiers, qu'on voyait autrefois
Pleins d'une ardeur si noble obéir à sa voix,
L'œil morne maintenant et la tête baissée
Semblaient se conformer à sa triste pensée.
Un effroyable cri sorti du fond des flots
Des airs en ce moment a troublé le repos.
Et du sein de la terre une voix formidable[6]
1510 Répond en gémissant à ce cri redoutable.

---

1. Les éditions de 1687 et de 1697 donnent : « Mon fils n'est plus ? Hé quoi ! […] ». \ **2.** Morceau de bravoure fameux, le récit de Théramène est un passage obligé dans les tragédies antiques et françaises consacrées au mythe de Phèdre. Racine s'inspire de plusieurs modèles : l'*Hippolyte* d'Euripide (v. 1173-1248), les *Métamorphoses* d'Ovide (XV, v. 506-526) dans lesquelles Hippolyte raconte sa propre mort, la *Phèdre* de Sénèque (IV, 1, v. 1000-1114). Racine se souvient également de l'*Hippolyte* de Gilbert (1645) et emprunte à l'*Énéide* de Virgile. \ **3.** *Mycènes* est une cité du nord-est du Péloponnèse, entre Argos et Corinthe : Hippolyte part vers le nord-est et prend la route d'Athènes. \ **4.** *Les chevaux* : la troisième édition collective des *Œuvres* de Racine (1697) donne « ses chevaux ». \ **5.** *Superbe coursier* : *superbe* signifie « altier ». Par analogie, *superbe* « se dit des animaux qui semblent orgueilleux de leur force » (*Dictionnaire* de Littré). *Coursier* signifie « grand et fort cheval de tournoi ou de bataille. Poétiquement, un noble et beau cheval » (*ibid.*) \ **6.** *Formidable* : terrifiante.

Jusqu'au fond de nos cœurs notre sang s'est glacé.

Des coursiers attentifs le crin s'est hérissé.

Cependant[1] sur le dos de la plaine liquide[2]

S'élève à gros bouillons une montagne humide[3].

L'onde approche, se brise, et vomit[4] à nos yeux

Parmi des flots d'écume un monstre furieux.

Son front large est armé de cornes menaçantes.

Tout son corps est couvert d'écailles jaunissantes[5].

Indomptable taureau, dragon impétueux,

1520   Sa croupe se recourbe en replis tortueux[6].

Ses longs mugissements font trembler le rivage[7].

Le ciel avec horreur voit ce monstre sauvage,

La terre s'en émeut[8], l'air en est infecté,

Le flot, qui l'apporta, recule épouvanté[9].

---

1. Formé à partir du démonstratif *ce* et du participe présent *pendant*, « cependant [...] signifie pendant cela, pendant ce temps-là » (*Dictionnaire de l'Académie*, 1694). \ **2.** La métaphore est empruntée à Virgile : on trouve par exemple dans l'*Énéide* « *camposque liquentis* » (VI, v. 724), que M. de Marolles traduit par « les campagnes liquides » (1662). \ **3.** L'image est empruntée au récit de sa mort par Hippolyte chez Ovide : « [...] mais las ! je ne fus pas sur le rivage de Corinthe, que j'aperçus la mer s'élever, et faire une orgueilleuse montagne de vagues, qui croissait toujours, ce semblait, et en sortait comme un mugissement » (*Métamorphoses*, trad. N. Renouard [1615], éd. 1619, XV, v. 507-510 : « *iamque Corinthiaci carpebam litora ponti,/cum mare surrexit, cumulusque inmanis aquarum/in montis speciem curuari et crescere visus/et dare mugitus summoque cacumine findi* »). Les vers d'Ovide ménagent une comparaison, ceux de Racine, une métaphore. Voir également Sénèque, *Phèdre*, v. 1015. \ **4.** *Vomir* : « lancer, jeter, pousser au dehors » (*Dictionnaire* de Littré). « On dit que *le mont Etna vomit des flammes, des monceaux de cendre,* pour dire que le mont Etna jette des flammes, des cendres » (*Dictionnaire de l'Académie*, 1694). \ **5.** Le détail provient peut-être des « écailles d'or » du monstre dans l'*Hippolyte* de Gilbert (V, 4, v. 1500). Voir également Sénèque, *Phèdre*, v. 1043 (« *longum rubenti spargitur fuco latus* »). \ **6.** Tels les deux serpents monstrueux surgis de la mer pour châtier Laocoon, « avec les cercles immenses, que faisaient les replis de leur échine sur la face des eaux » (Virgile, *Énéide*, trad. M. de Marolles, II, v. 208 : « *sinuat immensa volumine terga* »). \ **7.** « De son mugissement le rivage frémit » (Gilbert, *Hippolyte*, V, 4, v. 1498). \ **8.** Étymologiquement, *émouvoir* veut dire « mettre en mouvement » et « signifie aussi exciter, agiter, soulever, et se dit en parlant des flots de la mer, de la tempête, etc. [...] *la mer commençait à s'émouvoir* » (*Dictionnaire de l'Académie*, 1694). Le sens psychologique est également attesté. La syllepse (procédé consistant à donner au mot deux sens différents qui se superposent) est probable. \ **9.** Le vers est un souvenir probable des effets de la projection d'un piton rocheux qu'Hercule jette à bas lors de son combat contre Cacus dans l'*Énéide* de Virgile (VIII, v. 240 : « *refluitque exterritus amnis* »).

Tout fuit, et sans s'armer d'un courage inutile,
Dans le temple voisin chacun cherche un asile.
Hippolyte lui seul, digne fils d'un héros,
Arrête ses coursiers, saisit ses javelots,
Pousse [1] au monstre, et d'un dard lancé d'une main sûre
1530 Il lui fait dans le flanc une large blessure.
De rage et de douleur le monstre bondissant
Vient aux pieds des chevaux tomber en mugissant,
Se roule, et leur présente une gueule enflammée,
Qui les couvre de feu, de sang, et de fumée.
La frayeur les emporte, et sourds à cette fois [2],
Ils ne connaissent plus ni le frein ni la voix [3].
En efforts impuissants leur maître se consume.
Ils rougissent le mors d'une sanglante écume.
On dit qu'on a vu même en ce désordre affreux
1540 Un dieu [4], qui d'aiguillons pressait leur flanc poudreux [5].
À travers les rochers [6] la peur les précipite.
L'essieu crie, et se rompt. L'intrépide Hippolyte
Voit voler en éclats tout son char fracassé.
Dans les rênes lui-même il tombe embarrassé [7].
Excusez ma douleur. Cette image cruelle
Sera pour moi de pleurs une source éternelle.
J'ai vu, Seigneur, j'ai vu votre malheureux fils

---

1. *Pousser* : « se porter, s'avancer sur, contre » (*Dictionnaire* de Littré). \ **2.** *À cette fois* : cette fois. \ **3.** « La bride, ni sa voix ne leur sert plus de loi » (Gilbert, *Hippolyte*, V, 4, v. 1517). \ **4.** Par *un dieu*, on peut comprendre Neptune, invoqué par Thésée. La formulation indéterminée rappelle celle du vers 1289. L'irruption du surnaturel est tempérée par le « on dit que » (v. 1539), comme elle l'est dans le récit final par Ulysse du sacrifice d'Iphigénie chez Racine : « Le soldat étonné *dit que* dans une nue/Jusque sur le bûcher Diane est descendue,/Et croit que s'élevant au travers de ses feux,/Elle portait au ciel notre encens et nos vœux. » (Racine, *Iphigénie*, V, 6, v. 1785-1788.) \ **5.** *Poudreux* : « couvert de poussière » (*Dictionnaire* de Littré) – registre élevé. \ **6.** *Les rochers* : les éditions de 1687 et 1697 donnent « des rochers ». \ **7.** *Embarrassé* : selon le sens étymologique, empêtré. « Dans les rênes qu'il tient il s'engage en tombant » (Gilbert, *Hippolyte*, V, 4, v. 1526).

Traîné par les chevaux que sa main a nourris.

Il veut les rappeler, et sa voix les effraie.

1550 Ils courent. Tout son corps n'est bientôt qu'une plaie [1].

De nos cris douloureux la plaine retentit.

Leur fougue impétueuse enfin se ralentit.

Ils s'arrêtent, non loin de ces tombeaux antiques,

Où des rois ses aïeux sont les froides reliques [2].

J'y cours en soupirant, et sa garde me suit.

De son généreux [3] sang la trace nous conduit.

Les rochers en sont teints. Les ronces dégouttantes

Portent de ses cheveux les dépouilles [4] sanglantes.

J'arrive, je l'appelle, et me tendant la main

1560 Il ouvre un œil mourant, qu'il referme soudain.

Le ciel, dit-il, *m'arrache une innocente vie.*

Prends soin après ma mort de la triste Aricie.

Cher ami, si mon père un jour désabusé [5]

Plaint le malheur d'un fils faussement accusé,

Pour apaiser mon sang, et mon ombre plaintive,

Dis-lui, qu'avec douceur il traite sa captive,

Qu'il lui rende... À ce mot ce héros expiré [6]

---

1. La phrase traduit le vers 526 du livre XV des *Métamorphoses* d'Ovide, qui conclut la description de l'horrible mise à mort d'Hippolyte : « *unum erat omnia vulnus* » (« ce n'était partout que blessures, et blessures si proches l'une de l'autre qu'elles ne faisaient qu'une plaie », trad. N. Renouard [1615], éd. 1619). Racine se distingue d'Ovide et de Sénèque par la concision de sa description des mutilations d'Hippolyte. \ 2. *Reliques* : « dans le style élevé, débris, restes de quelque chose de grand (mot qui vieillit, mais qui est défendu par l'autorité de Racine, et que A. de Musset a heureusement rajeuni) » (*Dictionnaire* de Littré). \ 3. *Généreux* : noble. \ 4. *Dépouille* se dit de la peau que l'on retire à un animal ou que certains rejettent après leur mue, et peut se dire par extension comme en l'occurrence. Le terme a également une connotation funèbre (la dépouille est aussi le cadavre) et héroïque (la dépouille est aussi le butin pris à l'ennemi). \ 5. *Désabusé* : détrompé. \ 6. *Ce héros expiré* : *expiré* signifie « mort ». Le tour est traditionnellement considéré comme un latinisme (du type dit *Sicilia amissa*, littéralement « la Sicile perdue », à traduire par « la perte de la Sicile »), possible dans la langue classique, qui consiste à employer au lieu d'un nom abstrait noyau du groupe nominal, un participe passé régi : *ce héros expiré* équivaut à « la mort de ce héros ».

N'a laissé dans mes bras qu'un corps défiguré,

Triste objet, où[1] des dieux triomphe la colère,

1570 Et que méconnaîtrait[2] l'œil même de son père.

THÉSÉE

Ô mon fils ! cher espoir que je me suis ravi !

Inexorables dieux, qui m'avez trop servi !

À quels mortels regrets ma vie est réservée !

THÉRAMÈNE

La timide[3] Aricie est alors arrivée.

Elle venait, Seigneur, fuyant votre courroux,

À la face des dieux l'accepter pour époux.

Elle approche. Elle voit l'herbe rouge et fumante.

Elle voit (quel objet pour les yeux d'une amante !)

Hippolyte étendu, sans forme et sans couleur[4].

1580 Elle veut quelque temps douter de son malheur,

Et ne connaissant[5] plus ce héros qu'elle adore,

Elle voit Hippolyte, et le demande encore.

Mais trop sûre à la fin qu'il est devant ses yeux,

Par un triste[6] regard elle accuse les dieux,

Et froide, gémissante, et presque inanimée,

Aux pieds de son amant elle tombe pâmée[7].

Ismène est auprès d'elle. Ismène toute[8] en pleurs

La rappelle à la vie, ou plutôt aux douleurs.

---

1. *Où* : dans lequel. Le relatif *où* s'emploie en français classique avec des valeurs très étendues et a notamment la valeur d'un relatif précédé d'une préposition évoquant une idée de lieu. \ 2. *Méconnaître* : ne pas reconnaître. \ 3. *Timide* : voir lexique p.175. \ 4. Le rendez-vous à l'ancien tombeau (voir vers 1392 et suiv.) et la découverte macabre du corps du fiancé sont un souvenir possible de la tragique histoire de Pyrame et Thisbé, amants malheureux qui se donnent rendez-vous au tombeau de Ninus (voir Ovide, *Métamorphoses*, VI, v. 55-166). \ 5. *Connaître* : reconnaître. \ 6. *Triste* : voir lexique, p. 175. \ 7. *Pâmée* : évanouie. \ 8. *Toute* : sur la forme *toute*, voir note 4, p. 37.

Et moi, je suis venu détestant la lumière [1]

1590 Vous dire d'un héros la volonté dernière,

Et m'acquitter, Seigneur, du malheureux emploi [2],

Dont son cœur expirant s'est reposé sur [3] moi.

Mais j'aperçois venir sa mortelle ennemie.

Scène dernière

THÉSÉE, PHÈDRE, THÉRAMÈNE, PANOPE, GARDES

THÉSÉE

Hé bien ! vous triomphez, et mon fils est sans vie.

Ah que j'ai lieu de craindre ! Et qu'un cruel soupçon

L'excusant dans mon cœur, m'alarme [4] avec raison !

Mais, Madame, il est mort, prenez votre victime.

Jouissez de sa perte injuste [5], ou légitime.

Je consens que mes yeux soient toujours abusés [6].

1600 Je le crois criminel, puisque vous l'accusez.

Son trépas à mes pleurs offre assez de matières [7],

Sans que j'aille chercher d'odieuses lumières [8],

Qui ne pouvant le rendre à ma juste [9] douleur,

---

1. *Détester la lumière* : *lumière* signifie ici « vie ». *Détester* signifie « réprouver, avoir en horreur. On dit proverbialement et bassement *détester sa vie,* pour dire maudire les misères, les malheurs de sa vie. Et on dit encore proverbialement et bassement *qu'un homme ne fait que jurer et détester,* pour dire qu'il fait de grandes imprécations » (*Dictionnaire de l'Académie,* 1694). Le sens de *maudire,* présent en cette occurrence, est étymologique : *detestari* signifie « se détourner en attestant les dieux », d'où « maudire solennellement ». \ **2.** *Emploi* : mission. \ **3.** *Se reposer sur* : s'en remettre à. \ **4.** *M'alarme* : m'épouvante. \ **5.** *Injuste* est employé comme antonyme de « légitime ». \ **6.** *Abusés* : voir lexique, p. 175. \ **7.** *Matière* : « signifie aussi, cause, sujet, occasion de quoi que ce soit » (*Dictionnaire de l'Académie,* 1694). \ **8.** *Odieuses lumières* : *lumière* « signifie aussi, éclaircissement, indice sur quelque sujet, sur quelque affaire » (*Dictionnaire de l'Académie,* 1694). Pour *odieux* : voir lexique, p. 175. \ **9.** *Juste* : voir lexique, p. 175.

Peut-être ne feraient qu'accroître mon malheur.
Laissez-moi loin de vous, et loin de ce rivage
De mon fils déchiré fuir la sanglante image.
Confus [1], persécuté [2] d'un mortel souvenir,
De l'univers entier je voudrais me bannir.
Tout semble s'élever contre mon injustice.
1610 L'éclat de mon nom même augmente mon supplice.
Moins connu des mortels je me cacherais mieux.
Je hais jusques au soin [3] dont m'honorent les dieux.
Et je m'en vais pleurer leurs faveurs meurtrières,
Sans plus les fatiguer [4] d'inutiles prières.
Quoi qu'ils fissent pour moi, leur funeste [5] bonté
Ne me saurait payer [6] de ce qu'ils m'ont ôté.

PHÈDRE

Non, Thésée, il faut rompre un injuste silence.
Il faut à votre fils rendre son innocence.
Il n'était point coupable.

THÉSÉE

Ah père infortuné !
1620 Et c'est sur votre foi [7] que je l'ai condamné !
Cruelle [8], pensez-vous être assez excusée…

PHÈDRE

Les moments me sont chers [9], écoutez-moi, Thésée.

---

1. *Confus* : bouleversé. Voir lexique, p. 175. \ **2.** *Persécuté de* : poursuivi par. Dans la langue classique, le complément d'agent est encore fréquemment introduit par *de*. \ **3.** *Jusques au soin* : pour *soin*, voir lexique, p. 175 ; pour le *-s* de *jusques*, voir note 5, p. 39. \ **4.** *Fatiguer* : « signi- fie figurément importuner » (*Dictionnaire de l'Académie*, 1694). \ **5.** *Funeste* : voir lexique, p. 175. \ **6.** *Payer* : « dédommager » (*Dictionnaire* de Littré). \ **7.** *Sur votre foi* : sur votre parole, en me fiant à vous. \ **8.** *Cruelle* : voir lexique, p. 175. \ **9.** *Chers* : « précieux, de grande valeur » (*Dictionnaire* de Furetière, 1690) – car les « moments » de Phèdre sont à présent comptés.

C'est moi qui sur ce fils chaste et respectueux
Osai jeter un œil profane[1], incestueux.
Le ciel mit dans mon sein une flamme funeste[2].
La détestable[3] Œnone a conduit tout le reste.
Elle a craint qu'Hippolyte instruit de ma fureur[4]
Ne découvrît[5] un feu qui lui faisait horreur[6].
La perfide abusant de ma faiblesse extrême
1630 S'est hâtée à vos yeux de l'accuser lui-même.
Elle s'en est punie, et fuyant mon courroux
A cherché dans les flots un supplice trop doux.
Le fer aurait déjà tranché ma destinée.
Mais je laissais gémir la vertu soupçonnée.
J'ai voulu, devant vous exposant[7] mes remords,
Par un chemin plus lent descendre chez les morts[8].
J'ai pris, j'ai fait couler dans mes brûlantes veines
Un poison que Médée apporta dans Athènes[9].
Déjà jusqu'à mon cœur le venin[10] parvenu
1640 Dans ce cœur expirant jette un froid inconnu.
Déjà je ne vois plus qu'à travers un nuage
Et le ciel, et l'époux que ma présence outrage.
Et la mort à mes yeux dérobant la clarté
Rend au jour, qu'ils souillaient, toute sa pureté.

---

1. *Profane* : sacrilège. Les vers 1622-1623 rappellent l'aveu de Phèdre à Thésée chez Sénèque (*Phèdre*, V, 1, v. 1192-1196). \ **2.** *Funeste* : voir lexique, p. 175. \ **3.** *Détestable* : « exécrable, qui doit être détesté » (*Dictionnaire de l'Académie*, 1694). Voir lexique, p. 175. \ **4.** *Fureur* : voir lexique, p. 175. \ **5.** *Découvrir* : révéler. \ **6.** *Horreur* : voir lexique, p. 175. \ **7.** *Exposer* : « dire, [...] faire connaître » (*Dictionnaire de l'Académie*, 1694). \ **8.** Dans la mythologie gréco-latine, le royaume des morts est souterrain. \ **9.** Chez Euripide, Phèdre se pend ; chez Sénèque, elle recourt à l'épée (chez Gilbert également). Cousine de Phèdre, *Médée* est une magicienne experte en poisons, connue pour avoir aidé Jason à ramener la Toison d'or et pour avoir tué, par jalousie, leurs enfants. Selon la légende, elle se réfugia à Athènes auprès d'Égée, lui promit des enfants, et tenta d'empoisonner Thésée, lorsqu'il arriva pour se faire reconnaître par son père (voir Plutarque, *Vie de Thésée*). Voir lexique, p. 185. \ **10.** *Venin* : voir note 5, p. 29.

PANOPE

Elle expire, Seigneur.

THÉSÉE

D'une action si noire
Que ne peut avec elle expirer la mémoire [1] !
Allons de mon erreur, hélas ! trop éclaircis [2]
Mêler nos pleurs au sang de mon malheureux fils.
Allons de ce cher fils embrasser ce qui reste [3],
1650 Expier la fureur d'un vœu que je déteste [4].
Rendons-lui les honneurs qu'il a trop mérités [5].
Et pour mieux apaiser ses mânes [6] irrités,
Que malgré les complots d'une injuste famille [7]
Son amante aujourd'hui me tienne lieu de fille.

Fin.

---

1. *Que ne peut avec elle expirer la mémoire* : Ah, si le souvenir de ce crime pouvait mourir avec elle ! \ **2.** *Éclaircis* : voir lexique, p. 175. \ **3.** La tragédie d'Euripide se termine avec la mort sur scène d'Hippolyte et les cris de douleur de Thésée auprès du corps de son fils. Le coryphée a le mot de la fin après la sortie du Thésée et après qu'on a emporté la dépouille d'Hippolyte. \ **4.** *Déteste* : voir lexique, p. 175. \ **5.** *Trop* : « plus qu'il ne faut » (*Dictionnaire de l'Académie*, 1694). \ **6.** *Mânes* : voir lexique, p. 175. \ **7.** Pallante, père d'Aricie, et les Pallantides, ses frères, désireux de s'emparer de la succession d'Égée, conspirèrent contre Thésée, l'héritier légitime de la couronne d'Athènes.

DOSSIER

REPÈRES CULTURELS ET BIOGRAPHIQUES

122 **Pouvoir, théâtre et religion sous le règne de Louis xɪv**

124 **La vie de Jean Racine**

127 **La création de *Phèdre* : rivalités théâtrales et enjeux esthétiques**

PISTES DE LECTURE ET EXERCICES

129 **La structure de la pièce**
EXERCICE 1 : Vers la question d'écriture
EXERCICE 2 : Vers le commentaire

141 **Les personnages de *Phèdre* : des héros « ni tout à fait coupable[s], ni tout à fait innocent[s] »**
EXERCICE 3 : Vers l'écriture d'invention

149 ***Phèdre* : une tragédie classique**
EXERCICE 4 : Vers la dissertation

OBJECTIF BAC

Sujets d'écrit

160 **SUJET D'ÉCRIT 1 : Le dénouement théâtral**
A. Racine, *Phèdre*, 1677
B. Marivaux, *La Double Inconstance*, 1723
C. Alfred de Musset, *Les Caprices de Marianne*, 1833

Sujets d'écrit

164 **SUJET D'ÉCRIT 2 : Dire la passion amoureuse**
A. Pseudo-Longin, *Traité du sublime* (ɪᵉʳ siècle apr. J.-C.)
B. Ronsard, *Nouvelle Continuation des Amours*, 1556
C. Racine, *Phèdre*, 1677
D. Stendhal, *La Chartreuse de Parme*, 1839

Sujets d'oral

167 **SUJET D'ORAL 1 : La scène d'exposition**
En quoi les vers 29-56 de la scène 1 de l'acte I contribuent-il à l'exposition ?

168 **SUJET D'ORAL 2 : La tirade amoureuse**
Quelles sont les caractéristiques de l'amour d'Hippolyte ?

169 **SUJET D'ORAL 3 : La mythologie au théâtre**
Quel usage Racine fait-il de la mythologie dans les vers 634 à 662 ?

169 **SUJET D'ORAL 4 : Le récit au théâtre**
Comment le récit de Théramène donne-t-il l'impression au public de vivre en direct la mort d'Hippolyte ?

POUR ALLER PLUS LOIN

171 **À lire, à voir...**

175 **Lexique des mots récurrents**

185 **Lexique des noms propres**

REPÈRES CULTURELS ET BIOGRAPHIQUES

■ Pouvoir, théâtre et religion sous le règne de Louis XIV

ART ET POUVOIR SOUS LE RÈGNE DU ROI-SOLEIL

Le début de la carrière de Racine coïncide avec celui du règne personnel de Louis XIV, à la mort de Mazarin, en 1661, et le dramaturge bénéficie de la politique de mécénat du monarque, soucieux de voir les artistes célébrer sa gloire et celle de la monarchie française.

Dans le sillage de la politique de Richelieu, créateur de l'Académie française (1635), Louis XIV conçoit une politique culturelle d'envergure, emblématisée par le fastueux château de Versailles, dont les travaux d'agrandissement se terminent en 1695. Amateur de ballets et conscient du prestige des fêtes de cour, les divertissements royaux de son règne sont brillants, comme en témoignent les journées des « Plaisirs de l'Île enchantée » (1664). Par son soutien, Louis XIV s'attache maints artistes talentueux : Lully (1633-1687), son surintendant de la musique, ou, parmi les écrivains, Molière, Bossuet, Perrault, ainsi que Boileau et Racine.

Mais la médaille a ses revers : d'une part la censure, d'autre part les voix dissidentes ou critiques : la satire de la cour de Louis XIV court au fil des *Fables* de La Fontaine. Les fastes de la cour vont de pair avec un protocole contraignant, l'étiquette ; le monde des courtisans, miroir de la gloire royale, contraste vivement avec la misère d'un peuple appauvri par les guerres et les taxes.

JOUER À PARIS AU XVIIᵉ SIÈCLE

À côté des pièces représentées dans les salles des riches particuliers, ou à la cour, pour le roi, comme *Iphigénie*, créée lors des « Divertissements de Versailles », ou encore *Mithridate*, tragédie préférée de Louis XIV, à côté d'un théâtre de collège qui se développe partir du XVIᵉ siècle, et d'un théâtre populaire de bateleurs, la vie théâtrale parisienne est strictement réglementée. En 1402, Charles VI accorde à la troupe des Confrères de la Passion le monopole exclusif des représentations et ses successeurs maintiennent cette exception : pour pouvoir jouer, les troupes non parisiennes négocient avec cette seule troupe autorisée. En 1548, les Confrères de la Passion, devenus « Comédiens du roi » sous Louis XIII, s'installent à l'Hôtel de Bourgogne.

Au XVIIᵉ siècle, avec l'engouement de la cour et d'un public cultivé pour le théâtre, la situation change. Le théâtre du Marais ouvre en 1634, avec la protection de Richelieu et porté notamment par le succès de Corneille – lequel passe ensuite à l'Hôtel de Bourgogne. La faveur royale accorde aussi une salle à l'Illustre-Théâtre, la troupe de Molière : d'abord le théâtre du Petit-Bourbon (1658), puis celui du Palais-Royal (1661). En 1665, Louis XIV accorde aux comédiens de Molière le titre prestigieux de « Troupe du roi ». Mais, à la mort de Molière, en 1673, les compagnies parisiennes se réduisent progressivement. Les comédiens de Molière fusionnent d'abord avec ceux du Marais, dont le théâtre ferme, et ils s'installent à l'Hôtel Guénégaud, tandis que Lully obtient la salle du Palais-Royal pour l'Académie de musique. En 1680, Louis XIV n'autorise plus qu'une seule compagnie parisienne à jouer en français : la troupe de l'Hôtel de Bourgogne se réunit à celle de l'hôtel Guénégaud : ce sont les débuts de la Comédie-française.

Si le monde du théâtre jouit des faveurs de Louis XIV, du moins avant l'austérité religieuse de la fin de son règne, de nombreux contemporains le condamnent comme source de mauvaises mœurs et d'irréligion.

POUVOIR ET RELIGION SOUS LOUIS XIV : LE JANSÉNISME

Le siècle de Louis XIV est en effet marqué par les pouvoirs et contre-pouvoirs religieux. Le jansénisme, dont le foyer est l'abbaye de Port-Royal, en représente un.

Sous l'action de la réformatrice Angélique Arnauld, jeune abbesse du monastère de Port-Royal-des-Champs (auquel a été rattaché un ancien couvent parisien en 1625), en la vallée de Chevreuse, et sous l'influence de l'abbé Saint-Cyran, directeur du lieu, Port-Royal devient un centre intellectuel et pédagogique animé par les esprits pieux et lettrés des « Solitaires de Port-Royal » : Antoine Arnauld (dit le Grand Arnauld), Pierre Nicole, ou encore Lemaître de Sacy (traducteur de la Bible dite de Port-Royal). Les Petites Écoles de Port-Royal, dont Racine a été l'élève, réunissent ainsi les meilleurs pédagogues, se distinguant par la place accordée à l'enseignement du grec.

Parallèlement, Port-Royal adopte le jansénisme, doctrine religieuse émanant de la réflexion de l'évêque d'Ypres, Jansénius, dont l'*Augustinus* est publié en 1640 : s'opposant à la théologie optimiste des jésuites pour lesquels le libre arbitre donne à l'homme la possibilité de faire son salut, le jansénisme, qui croit à la corruption fondamentale de l'homme, considère que le salut, incertain et réservé à quelques élus, dépend de la seule grâce divine.

La vie de Jean Racine : la destinée remarquable d'un orphelin sans ressources

Né en 1639 dans une famille de notables de La Ferté-Milon (Aisne), Racine perd rapidement sa mère (1641), puis son père (1643). Il est recueilli par ses grands-parents paternels. Veuve en 1649, sa grand-mère, Marie Desmoulins, se retire en l'abbaye janséniste de Port-Royal. Racine devient alors l'élève des Petites Écoles de Port-Royal, y recevant, jusqu'en 1653 et à titre gratuit, une solide formation gréco-latine. Il poursuit son instruction au collège de la ville de Beauvais, puis aux Granges de Port-Royal, avec des maîtres réputés, et enfin au collège d'Harcourt (actuel lycée Saint-Louis).

Racine s'essaie à la poésie et au théâtre. Dans les années 1656-1658, il compose des poèmes, en français et en latin, et, à l'occasion du mariage de Louis XIV, en 1660, il publie une ode remarquée, *La Nymphe de la Seine à la reine*. Parallèlement, il soumet sa première pièce, *Amasie* (elle a été perdue), aux comédiens du Marais, qui la refusent. En 1661, il imagine puis abandonne une nouvelle intrigue avec pour héros le poète latin Ovide. Ses débuts d'écrivain déplaisent à la communauté de Port-Royal, vivement hostile au théâtre.

En 1663, Racine renoue avec ses aspirations littéraires et ne renonce pas pour autant au théâtre. En 1664, la troupe de Molière présente, au théâtre du Palais-Royal, sa première pièce jouée et conservée, *La Thébaïde*. Le succès est médiocre : la tragédie n'est pas la spécialité de la troupe. Aussi, en 1665, Racine retire *in extremis* sa pièce suivante, *Alexandre le Grand*, aux comédiens de Molière – avec qui il se brouille –, pour la confier à ceux de l'Hôtel de Bourgogne, réputés comme tragédiens. La pièce séduit et la collaboration avec les comédiens de l'Hôtel de Bourgogne est pour Racine le début d'une carrière d'auteur dramatique marquée par les succès ainsi que par les luttes et les rivalités. En 1667, *Andromaque*, dont le rôle-titre est créé par une transfuge de la troupe de Molière, la célèbre Thérèse du Parc (1633-1668) – qui fut aussi la maîtresse de Racine[1] – est un triomphe comparable à celui du *Cid* de Corneille, en 1637.

Les débuts glorieux de Racine comme tragique sont marqués par sa rupture avec Port-Royal. En 1666-1667, il prend parti contre ses anciens maîtres et se fait le défenseur du théâtre dans une polémique dite la « querelle des Imaginaires », qui oppose à l'origine l'écrivain Desmarets de Saint-Sorlin, pourfendeur des jansénistes, et Pierre Nicole – l'un des maîtres de Racine –, pourfendeur du théâtre.

En 1668, Racine propose sa seule comédie, *Les Plaideurs*, fort appréciée par la cour, puis, jusqu'en 1677, ses tragédies se succèdent. Il se pose en rival du grand Corneille : dans la préface de sa tragédie romaine *Britannicus*,

---

1. En 1679, lors de l'affaire des Poisons, Racine est soupçonné d'avoir empoisonné la Du Parc par jalousie.

créée en 1669, il attaque l'auteur du *Cid*, qui réplique en 1670 au succès de larmes de *Bérénice* avec *Tite et Bérénice*, montée par la troupe de Molière. La querelle est vive et le « tendre » Racine l'emporte, épaulé par le talent de la Champmeslé, actrice nouvelle venue à l'Hôtel de Bourgogne, qui fut également la maîtresse de Racine. En 1672, *Bajazet*, tragédie sanglante à décor turc, remporte un nouveau succès, de même que la tragédie orientale *Mithridate*, créée fin 1672. En 1674, avec *Iphigénie*, Racine revient avec bonheur aux sujets grecs. La tragédie de *Phèdre et Hippolyte*[1], avec la fameuse Champmeslé dans le rôle-titre, est créée en 1677, en concurrence avec la *Phèdre et Hippolyte* de Pradon, montée par la troupe rivale au théâtre Guénégaud. La polémique est vive.

Parallèlement, la reconnaissance de Racine écrivain est consacrée par son entrée à l'Académie française (1673) et par la publication de ses *Œuvres collectives* (1re éd. 1675-1676, 2e éd. 1687 et 3e éd. 1697). Protégé par le roi, il entre en 1683 à l'Académie des inscriptions et médailles. En 1690, il obtient la charge prestigieuse de « gentihomme ordinaire de la Chambre du roi » et, à partir de 1695, il jouit d'un appartement à Versailles et fait fréquemment la lecture au roi. Son mariage, en 1677, avec Catherine Romanet, une jeune femme de bonne famille avec qui il a sept enfants, participe à ces changements, de même que sa réconciliation avec Port-Royal.

La fin de la vie de Racine, comme plus largement la fin du règne de Louis XIV, est en effet marquée par la religion. En témoignent des traductions d'hymnes religieuses (1687) ou des *Cantiques spirituels* (1694). Racine revient au théâtre avec deux tragédies bibliques, *Esther* (1689) et *Athalie* (1691), imaginées pour les « demoiselles de Saint-Cyr », maison d'éducation fondée par l'épouse du roi, Mme de Maintenon. Parallèlement, Racine se réconcilie progressivement avec Port-Royal, dont sa tante devient abbesse en 1690. Il meurt, malade, le 21 avril 1699, et, conformément à ses vœux, est enterré à Port-Royal-des-Champs, à côté de l'un de ses maîtres.

---

1. Tel est le titre originel de la pièce : voir note 1, p. 9 . ; voir aussi p. 142.

La création de *Phèdre* : rivalités théâtrales et enjeux esthétiques

Lorsque Racine présente *Phèdre et Hippolyte* sur la scène parisienne, dont la première eut lieu le 1ᵉʳ janvier 1677, il est au faîte de sa carrière d'auteur dramatique. Il vient de publier la première édition de ses *Œuvres*. Molière est mort en 1673, Pierre Corneille a fait jouer sa dernière pièce, *Suréna*, en 1674. Ses seuls rivaux possibles, Lully et Quinault, triomphent avec leurs tragédies lyriques. Mais, tandis qu'ils représentent le parti des Modernes, férus de mode italienne et confiants dans les formes nouvelles, Racine, comme son ami Boileau, se place du côté des Anciens, les tenants d'une imitation humaniste des modèles antiques[1]. *Phèdre* en est la preuve, dont l'écriture est inspirée par *Hippolyte porte-couronne* du tragique grec Euripide, et par la *Phèdre* de Sénèque[2], et modelée par de grands modèles de l'Antiquité classique : l'*Énéide* de Virgile – notamment les amours de Didon et Énée (chant IV) et la descente aux Enfers d'Énée (chant VI) –, la poésie d'Ovide (*Les Héroïdes*, *Les Métamorphoses*), ou encore l'« Ode à l'amour » de la poétesse grecque Sapho, traduite par Boileau en 1674 dans sa traduction du *Traité du sublime* du Pseudo-Longin[3].

En choisissant un sujet traité par Euripide, comme il le souligne dans la première phrase de sa préface, et par Sénèque, Racine s'inscrit dans la lignée des auteurs classiques. Mais il répond aussi à des prédécesseurs français et à ses contemporains. Robert Garnier, La Pinelière, Gilbert et Bidar avaient proposé leurs *Hippolyte* à la scène française en 1573, 1634-1635, 1645 et 1675. Par ailleurs, Phèdre ou Thésée figuraient comme personnages dans *Le Mariage de Bacchus et d'Ariane* (1671), la pièce à machines de Donneau de Visé, la tragédie élégiaque *Ariane* de Thomas Corneille (1672), et l'opéra *Cadmus et Hermione* (1673) de Lully et Quinault.

---

1. Une querelle esthétique se noue dans la deuxième moitié du XVIIᵉ siècle entre les « Modernes », tenants de la supériorité du siècle de Louis XIV, et les « Anciens », tenants de la perfection des œuvres antiques. La querelle des Anciens et des Modernes proprement dite oppose de 1687 à 1694 le Moderne Perrault à l'Ancien Boileau. \ 2. Certains manuscrits donnent pour titre à la pièce, *Hippolyte*. \ 3. Voir texte, p. 164-165.

Surtout, la pièce de Racine se trouve en concurrence, deux jours après sa création, avec la tragédie d'un jeune auteur, Pradon (1632-1698), de même titre et de même sujet, mais relevant d'une veine galante et adoucissant, comme les prédécesseurs français de Racine, l'amour fautif de Phèdre pour Hippolyte, celle-ci étant seulement la fiancée de Thésée. Un tel concours de circonstances, fréquent dans le théâtre de l'époque, manifeste le climat conflictuel qui entoure la création de *Phèdre*, dont témoignent un vif échange de sonnets satiriques et la dénonciation par Boileau, ami de Racine, d'une cabale.

PISTES DE LECTURE ET EXERCICES

Piste 1 : La structure de la pièce

La structure de *Phèdre* tient son équilibre de l'agencement de l'intrigue autour d'un événement central, le retour de Thésée, clef de voûte de l'action. Dans la première partie, qui précède ce coup de théâtre, les révélations d'Hippolyte, de Phèdre et d'Aricie nouent progressivement un conflit politique et passionnel. Graduellement, les personnages aggravent leur culpabilité future par leurs aveux, et prennent leurs résolutions en réponse à deux coups de théâtre qui rythment les fins d'acte : la nouvelle de la mort du roi (acte I) et le choix par Athènes de son successeur (acte II). Le retour de Thésée (acte III) retourne la situation, fait basculer les personnages dans la culpabilité et modifie l'enjeu dramatique. La logique de la révélation est toujours à l'œuvre mais la dynamique de l'enquête modifie les modalités des aveux. La calomnie d'Œnone, seule intervention active d'un personnage sur l'intrigue, met alors en place les conditions du dénouement. Le parcours de Thésée, de l'ignorance à l'erreur (acte IV) et de l'erreur à la vérité (acte V), constitue dès lors le fil directeur.

Plus complexe que la première moitié de la pièce, la seconde, à l'image de la structure d'ensemble, obéit à un premier mouvement d'exaspération des conflits et à la montée des culpabilités (notamment chez Phèdre et Thésée) ; puis à un second mouvement, descendant vers le dénouement, marqué par la gradation pathétique de l'accumulation des morts, et la révélation trop tardive de la vérité, selon une formule d'intrigue recommandée par Aristote[1]. Racine produit ainsi une impression d'accélération et de densité de l'intrigue. Rigoureusement construite autour d'un coup de théâtre puissant, *Phèdre* relève d'une

> **Agnition**: reconnaissance; « [...] grand ornement dans les tragédies; Aristote le dit; mais il est certain qu'elle a ses incommodités » (Corneille, *Second Discours*, 1660).

architecture classique par la netteté de son dessein, son équilibre et ses effets de symétrie.

L'ACTE I : L'EXPOSITION

Le secret d'Hippolyte

Phèdre s'ouvre sur le passage obligé qu'est l'acte d'exposition (voir encadré).

La première scène est constituée par un dialogue entre deux personnages, dont les fonctions sont révélées par leurs dignités respectives : Hippolyte, fils du roi Thésée, est un personnage principal, tandis que Théramène, son gouverneur, assure le rôle de confident. La combinaison, fréquente

> **L'acte d'exposition**
> L'exposition « doit instruire le spectateur du sujet et de ses principales circonstances, du lieu de la scène et même de l'heure où commence l'action, du nom, de l'état, du caractères et des intérêts de tous les personnages principaux[2] ».

dans les scènes d'exposition, conduit, au cours d'un dialogue, à révéler le projet du héros : quitter Trézène, lieu de l'action, et à éclairer les motifs de ce départ.

Spontanément, Hippolyte explique qu'il veut partir pour s'enquérir de son père Thésée dont on est sans nouvelles. Peu convaincu, Théramène sonde les raisons de ce départ. Si la révélation successive d'autres mobiles signale la bonne connaissance que Théramène a d'Hippolyte et prépare le spectateur à mieux recevoir ce que dira celui-ci, l'artifice permet aussi de

---

1. Dans la *Poétique* (1453 b-1454 a), Aristote distingue quatre types de tragédie selon le traitement réservé à l'agnition (voir encadré ci-dessus) et à l'acte tragique. Il recommande le dispositif que Racine utilise dans *Phèdre*, dans lequel l'acte tragique est suivi par une reconnaissance trop tardive. Pour l'influence d'Aristote sur le théâtre du XVIIe siècle, voir encadré, p. 157. \ **2.** *Les Caractères de la tragédie* ou *Essais sur la tragédie*, manuscrit 559 de la Bibliothèque nationale (XVIIIe siècle probablement), cité par Jacques Schérer, *in La Dramaturgie classique en France*, Nizet, 1950, p. 56.

compléter l'exposition avec naturel. Hippolyte avance une excuse discutée par Théramène, à savoir la présence de Phèdre. Le spectateur apprend ainsi que la belle-mère du jeune homme, « fille de Minos et de Pasiphaé » (v. 36), a cessé de le poursuivre de sa haine et souffre d'un mal mystérieux. Enfin, les propos d'Hippolyte suggèrent un autre mobile, inavouable à ses yeux : son amour pour la princesse Aricie, vouée au célibat par l'interdiction de Thésée en raison de la menace politique qu'elle représente. Le thème amoureux fournit l'occasion d'un portrait psychologique d'Hippolyte, jeune homme rétif à l'amour et soucieux d'une gloire aussi héroïque que celle de son père. Le caractère du héros, l'identité d'Aricie et l'interdiction de Thésée constituent un triple obstacle à l'amour d'Hippolyte.

Exposition incomplète, la première scène possède un fort dynamisme. Elle débute avec un dialogue déjà commencé, selon le procédé des commencements *in medias res*[1], reconnu traditionnellement comme plus vivant. Elle présente un héros sur le départ. Elle amorce une intrigue amoureuse à enjeu familial et politique. Enfin, elle laisse planer le mystère sur le sort de Thésée et sur le personnage éponyme, Phèdre.

Le secret de Phèdre

Comme le lui rappelle Théramène conformément à sa condition de gouverneur, Hippolyte se doit, avant de partir, de présenter ses devoirs à la reine. Sa nourrice Œnone annonce opportunément son arrivée, mais la description qu'elle fait de sa maîtresse mourante et désireuse de solitude chasse de scène Hippolyte et Théramène (scène 2). L'héroïne fait son entrée à la troisième scène, qui achève de compléter l'exposition.

Si Hippolyte est résolu à partir, Phèdre est résolue à mourir – elle ne dort ni ne mange depuis trois jours (voir v. 191-194) : d'emblée, les deux héros se préparent à quitter l'espace tragique. Leur motif caché est le même, à savoir l'amour. Le dialogue entre Phèdre et Œnone, qui joue auprès de la reine le même rôle que Théramène auprès d'Hippolyte, permet à nouveau au spectateur d'apprendre en même temps que la confidente le secret amoureux d'un personnage principal : en l'occurrence l'amour adultère

---

1. Littéralement, en latin, « au milieu des choses », c'est-à-dire en pleine action.

et incestueux de Phèdre pour son beau-fils Hippolyte. Cependant, si Hippolyte refusait d'avouer explicitement son amour, Phèdre consacre une longue tirade à l'histoire de sa passion. Mais c'est Œnone qui nomme Hippolyte (v. 264) et Phèdre ne cède à l'aveu que sous la violence d'un chantage au suicide de la part d'Œnone : selon Phèdre, avouer accroît la culpabilité (v. 241). La parole, échappant à l'intériorité, accorde à la faute un degré d'existence plus grand.

Premier coup de théâtre : l'annonce de la mort de Thésée

Panope, suivante de la reine vouée à la fonction de messagère, entre alors en scène pour annoncer la mort de Thésée (scène 4)[1]. Ce premier coup de théâtre[2], préparé par la scène 1, bouleverse la situation initiale et lance l'action. Panope fait état de la crise dynastique qui s'ouvre et souligne la rivalité politique entre trois camps : Phèdre et le « prince [son] fils » (v. 326) ; Hippolyte, « fils de l'étrangère » (v. 328) ; et Aricie, du « sang de Pallante » (v. 330). À la scène 5, Œnone peut alors persuader Phèdre de vivre, au nom de son fils, lui proposer une alliance politique avec Hippolyte contre Aricie, et surtout stipuler que la mort de Thésée retire à sa passion son caractère criminel. La voie est ouverte pour un réagencement des relations amoureuses et politiques entre les personnages.

L'ACTE II : LES AVEUX

Le secret d'Aricie

Selon le principe des scènes 1 et 3 de l'acte I, l'entrée en scène d'un nouveau personnage de sang royal, à savoir Aricie, donne lieu à un dialogue avec la « confidente » Ismène, à qui est révélé, en même temps qu'au spectateur, un troisième secret amoureux, à savoir l'amour d'Aricie pour Hippolyte. À nouveau, le personnage féminin exprime ses sentiments en une tirade où le récit de sa vie précède l'exposé des modalités de l'amour. À travers la métaphore de la guerre d'amour, la jeune fille se présente douée d'un orgueil héroïque qui l'apparente à Hippolyte. Par la reprise de la même

---

1. Dans *Mithridate*, Racine recourt également à une fausse mort. \ **2.** *Coup de théâtre* : retournement de situation, changement de fortune.

dramaturgie de la révélation et par la répétition des mêmes motifs, Racine instaure un parallèle frappant entre Phèdre, Hippolyte et Aricie.

La révélation de son secret par Aricie est encouragée par Ismène qui prête à Hippolyte un même amour pour la princesse, par la nouvelle liberté de la jeune fille, consécutive à la mort de Thésée, et enfin par l'annonce d'une entrevue avec Hippolyte, « premier effet de la mort de Thésée » (v. 370) : une logique causale, très nette dans l'acte II, assure cohérence et nécessité dramatiques.

L'aveu d'Hippolyte

L'arrivée d'Hippolyte à la scène 2 confirme le changement de fortune d'Aricie : plus que la liberté, Hippolyte lui offre le trône d'Athènes qu'il part conquérir pour elle et se déclare dans une longue tirade. Le silence d'Hippolyte devant Théramène, à la scène 1 de l'acte I, contribuait à la construction d'un personnage rétif à l'amour mais permettait aussi d'éviter une redite : Racine choisit l'aveu direct, plus chargé d'émotion.

Théramène interrompt la scène d'amour : la reine approche, désireuse de s'entretenir avec Hippolyte. Symbolique de l'obstacle que Phèdre représente pour les jeunes gens, cette interruption inverse la situation de l'acte I : tandis qu'alors Hippolyte recherchait Phèdre et était chassé par l'arrivée d'Œnone, c'est à présent la reine qui cherche le jeune homme, toujours sur le départ et toujours occupé de son amour. Cependant, la scène attendue entre Phèdre et Hippolyte peut désormais avoir lieu : le souci d'une reine veuve pour le sort de son fils légitime l'entrevue. Mais auparavant, Racine dresse un nouvel obstacle à la passion de Phèdre : la fin de la scène 3, où Aricie devient doublement sa rivale, en acceptant d'être reine d'Athènes et du cœur d'Hippolyte. L'intrigue se noue plus fermement par ce double lien qui unit le couple d'amoureux contre la reine.

L'aveu de Phèdre

Après avoir envoyé Théramène préparer son départ (scène 4), Hippolyte écoute Phèdre, encouragée par Œnone, plaider pour son fils. Le trouble de la reine le conduit à suggérer que Thésée n'est peut-être pas mort, ce qui prépare le coup de théâtre de son retour. Menée par sa passion, Phèdre n'en dévoile pas moins son amour. L'aveu, d'abord indirect, se noue sur la ressemblance du père et du fils et procède d'une relecture de la légende de Thésée, où Hippolyte joue le rôle de son père, et Phèdre celui de sa sœur Ariane. Dans une seconde tirade, Phèdre déclare ensuite sans ambages sa passion ainsi que l'horreur qu'elle en éprouve et finit par s'offrir à l'épée d'Hippolyte, dont elle se saisit pour diriger sa main et qu'il abandonne, muet. Soucieuse de la vie de sa maîtresse tout autant que de son secret – « on vient » (v. 712) –, Œnone empêche cette nouvelle tentative de suicide, sauve une autre fois sa maîtresse qu'elle entraîne hors de scène.

Ainsi, la scène 5 est régie par une gradation dans l'expression de la passion de Phèdre. Après un prétexte fallacieux, un aveu indirect, puis une déclaration directe, la passion de l'héroïne est manifestée visuellement par un jeu de scène. Par là, Racine ménage une gradation pathétique et prépare la condamnation d'Hippolyte : preuve d'un événement violent, l'épée abandonnée par le jeune homme peut devenir une pièce à charge, tout en symbolisant visuellement la perte d'un signe de son pouvoir.

Le deuxième coup de théâtre : les nouvelles de Théramène

L'acte II se clôt avec le retour de Théramène. Celui-ci constate le trouble d'Hippolyte, porteur d'un nouveau secret, et lui fait part d'une nouvelle et d'une rumeur. La situation politique est désormais en sa défaveur : Athènes a choisi pour roi le fils de Phèdre. En outre, Thésée ne serait pas mort. Racine pose un nouveau jalon pour préparer le retour du roi. Hippolyte ajourne son départ, non dans le désir de renoncer à sa résolution de porter Aricie sur le trône, mais pour s'informer sur la rumeur relative à Thésée.

Débutant avec la crise de succession ouverte par la mort de Thésée, porteuse d'un conflit politique entre trois personnages dont les sentiments ne sont pas encore déclarés, l'acte II clarifie progressivement la situation : deux camps politiques se dessinent dès lors, d'un côté Hippolyte et Aricie, de l'autre Phèdre, selon une répartition conforme aux alliances sentimentales. Mais le possible retour de Thésée menace cette distribution.

L'ACTE III : LE RETOUR DU ROI

L'aveuglement de Phèdre

La scène 1 de l'acte III se situe dans la continuité de l'acte précédent : d'emblée Phèdre mentionne les honneurs qu'elle reçoit comme mère du nouveau roi et relate son suicide manqué, occasion pour Racine de fournir les indications scéniques requises pour le jouer. En conséquence du choix d'Athènes de porter son fils sur le trône, Phèdre envisage de se servir de l'ambition politique d'Hippolyte pour le faire céder. Ses espoirs sont aussi fondés sur l'absence de rivale amoureuse. Cette double erreur dans l'interprétation du personnage d'Hippolyte manifeste l'aveuglement de l'héroïne, et voue d'avance son plan à l'échec. Les résistances d'Œnone relèvent à ce titre d'un langage de la raison, tandis que Phèdre s'abandonne à « [s]a fureur » (v. 792) : la déclaration de son amour à Hippolyte a ouvert la voie aux débordements de la passion. Phèdre envoie sa nourrice auprès d'Hippolyte pour œuvrer à ses projets. Seule sur scène, Phèdre invoque alors Vénus, et réclame son assistance. Parenthèse suscitée par la nécessité d'une sortie et d'un rapide retour d'Œnone porteuse de la nouvelle du retour de Thésée, le monologue introduit le motif de l'appel à la vengeance d'un dieu par un héros aveuglé et pris de fureur.

Troisième coup de théâtre : l'annonce du retour de Thésée

La fin de l'acte III s'organise selon une dynamique causale qui se déploie à partir du troisième coup de théâtre : l'annonce du retour de Thésée. En effet, l'annonce du vers 827 : « Le roi, qu'on a cru mort, va paraître [...] », au centre même de la pièce qui compte cinq actes et 1654 alexandrins, fait basculer l'action. Les désirs amoureux des personnages redeviennent coupables ; leurs projets politiques s'effondrent. Cependant, il ne s'agit pas d'un retour à la situation initiale : les aveux de l'acte II ont modifié la donne. Sous peine de trahir « et son père et son roi » (v. 847), Hippolyte peut accuser Phèdre.

Pour sauver une fois encore la vie de sa maîtresse, mais aussi son honneur, Œnone propose un stratagème : accuser Hippolyte de son crime et utiliser l'épée abandonnée en guise de pièce à conviction (scène 3). Au nom de son dévouement, elle argumente, soutenant que le père ne saurait châtier trop sévèrement le fils – ce en quoi elle se trompe – et elle valorise l'honneur comme supérieur à la vertu. Malgré les réticences de Phèdre, la nourrice obtient de mener à bien son plan : la culpabilité de Phèdre s'alourdit.

L'entrée en scène de Thésée

Thésée paraît, entouré d'Hippolyte et de Théramène, et s'étonne : Phèdre s'esquive, déclare son époux « offensé » (scène 4) et Hippolyte annonce sa résolution de partir en quête de gloire (scène 5). Loin de retrouver sa famille, Thésée semble la perdre. Au terme d'une tirade où il dévoile le mystère de son absence, où il exprime son étonnement, et dont la longueur marque le silence d'Hippolyte, il se résout à une enquête pour éclaircir ces mystères.

L'acte se ferme sur les interrogations d'Hippolyte, tant à l'égard du comportement de Phèdre qu'à celui de sa conduite future : également coupable aux yeux de Thésée, son amour est en péril. Comme Œnone, il sent la nécessité d'un stratagème.

L'ACTE IV : LA CONDAMNATION D'HIPPOLYTE

Le stratagème d'Œnone

L'acte IV s'ouvre *in medias res* par un dialogue déjà engagé entre Thésée et Œnone. Racine a ménagé une ellipse : Thésée vient d'apprendre la culpabilité prêtée à Hippolyte, culpabilité justifiée par l'exhibition de l'épée (v. 1010). Ses imprécations marquent sa colère et ses propos suggèrent une accusation de tentative de viol. Pour confirmer ces accusations, Œnone réinterprète le comportement de Phèdre à la lumière de son mensonge, et à son tour, Thésée formule une interprétation fausse de la froideur d'Hippolyte. La ruse d'Œnone a porté : l'action s'achemine vers le dénouement.

Hippolyte condamné

L'arrivée d'Hippolyte, que le spectateur peut attribuer à la même volonté d'intervenir dans le cours de l'action – ce que confirme le vers 1130 –, gouverne la seconde et dernière rencontre du père et du fils. Sous le coup de la colère, Thésée chasse son fils et invoque pour sa vengeance le dieu Neptune dans un vœu qui rappelle le monologue de Phèdre (III, 2) : un péril plus grand que l'exil pèse désormais sur Hippolyte. Le jeune homme, d'abord muet, retrouve la voix pour se défendre. Refusant de s'expliquer quant à l'accusation d'Œnone, il se justifie en arguant de la chaste vertu de sa vie passée, puis, devant l'entêtement de Thésée, avoue en vain son amour pour Aricie. Condamné à l'exil, il sort, non sans suggérer une possible culpabilité de Phèdre. Seul sur scène, Thésée se lamente et formule le caractère inéluctable de sa vengeance, placée entre les mains de Neptune.

Les revirements de Phèdre entre remords et jalousie

Prise de remords, Phèdre survient alors pour plaider la cause d'Hippolyte. Cependant, la révélation malencontreuse de l'aveu de l'amour du jeune homme pour Aricie lui ferme la bouche. Occasion manquée de sauver l'innocent (v. 1200), l'entrevue produit l'impression que le sort s'acharne contre Hippolyte tandis que la sortie d'un Thésée désireux de hâter l'accomplissement de son vœu par Neptune accroît le sentiment d'urgence.

Apprendre l'amour d'Hippolyte et d'Aricie conduit Phèdre à franchir un nouveau seuil dans ses passions. D'une part, Hippolyte est plus que jamais inaccessible. D'autre part, elle ressent désormais les tourments de la jalousie. D'abord seule (scène 5) puis face à Œnone, qui, inquiète, l'a rejointe (scène 6), elle se laisse guider par ses passions et décide de « perdre Aricie » (v. 1259). Puis, consciente d'avoir atteint le comble de ses crimes et de ses douleurs, le remords la prend soudain et elle embrasse dans un mouvement d'élévation sublime son destin de descendante du Soleil et de fille de Minos perdue par Vénus. Dans une vision prophétique, elle annonce sa mort et décrit son jugement aux Enfers. À nouveau, Œnone tente de la raisonner. Mais, métamorphosée, Phèdre la chasse en la maudissant. Ayant pour sa maîtresse « tout fait, tout quitté » (v. 1327), Œnone est vouée à se tourner vers la mort.

L'ACTE V : LE DÉNOUEMENT

Le départ d'Hippolyte

Dernière scène d'Hippolyte, la première scène de l'acte V rejoue la scène 2 de l'acte II : avant de partir, Hippolyte se rend auprès d'Aricie. Son départ, décidé

Dénouement: dernier moment de l'action, où le nœud se dénoue pour un retour à un équilibre. «Premièrement, c'est le terme de toutes les affaires du Théâtre, donc il faut qu'elles se disposent de bonne heure partout pour y arriver. En second lieu, c'est le centre de tout le poème, donc les moindres parcelles doivent y tendre [...]. Il faut aussi prendre garde [...] qu'il ne reste rien après, ou de ce que les spectateurs doivent savoir, ou qu'ils veuillent entendre » (D'Aubignac, *La Pratique du théâtre* [1659], II, 9).

cette fois par une condamnation à l'exil, ne le conduit à abandonner ni ses prétentions politiques ni ses projets amoureux. L'alliance des deux personnages est confortée par une promesse de mariage et par un rendez-vous, « aux portes de Trézène », dans un temple «parmi [l]es tombeaux » (v. 1392), sinistre présage et justification de la présence ultérieure d'Aricie auprès d'Hippolyte mort. La scène se présente également comme une occasion manquée par Hippolyte d'échapper à son sort : inquiète du « péril » qui le menace, Aricie l'invite à dévoiler la vérité qu'il lui a fait connaître. Mais Hippolyte refuse le conseil et exige d'Aricie le même silence.

Les doutes et les revirements de Thésée

L'apparition de Thésée est concomitante de la sortie d'Ismène, envoyée par Aricie préparer le départ, comme Théramène l'avait été par Hippolyte à la scène 2 de l'acte II. L'entrevue entre Aricie et un Thésée déjà troublé (voir v. 1411 et scène 2) marque un seuil dans le cheminement du roi vers la vérité. Prenant fait et cause pour Hippolyte, dont elle prétend avoir reçu « un éternel adieu » (v. 1416) et cependant fidèle au secret exigée d'elle, Aricie met Thésée en garde. Elle sème le doute dans sa conscience, ainsi que l'atteste le monologue de la scène 4. Tout juste décidé à interroger Œnone « une seconde fois » (v. 1458), Thésée apprend de Panope « le mortel désespoir » de Phèdre (v. 1463) et le suicide de la nourrice (scène 5). Inquiet, il fait appeler son fils et demande à Neptune de retarder l'accomplissement de son vœu. Mais Théramène survient pour annoncer qu'il est désormais trop tard (scène 6).

La catastrophe : ultime péripétie et reconnaissance

Dans un récit fameux, Théramène relate la mort d'Hippolyte : après avoir triomphé en vain d'un monstre surgi de la mer, il a été mis à mort par ses propres chevaux auprès des «tombeaux antiques» (v. 1553). Le gouverneur rapporte ses dernières paroles en faveur d'Aricie, et l'égarement de la jeune fille et d'Ismène, arrivées sur les lieux.

> **Péripétie** : 1. moment de retournement ultime de l'action, conduisant au dénouement ; 2. coup de théâtre.

Thésée accueille Phèdre avec des manifestations de douleur paternelle. Bien que croyant encore, mais de moins en moins, à la culpabilité de son fils, il considère qu'il a fait preuve d'« injustice » (v. 1609) et aspire à l'exil. Cependant, il manque à ses malheurs la connaissance de la vérité. Phèdre, définitivement mourante après l'absorption d'un poison, avoue enfin à Thésée l'innocence d'Hippolyte, son amour criminel et les manigances d'Œnone. Elle expire sur scène et Thésée prononce le mot de la fin en quittant la scène pour se rendre auprès du corps de son fils, ayant décidé de respecter ses dernières volontés en faisant d'Aricie sa fille. Cela règle le sort du dernier personnage.

> **Catastrophe** : retournement conclusif. « Je sais bien qu'on le prend communément pour revers ou bouleversement de quelques grandes affaires, et pour désastre sanglant et signalé qui termine quelque notable dessein. Pour moi, je n'entends par ce mot qu'un renversement des premières dispositions du théâtre, la dernière péripétie, et le retour d'événements qui changent toutes les apparences des intrigues au contraire de ce qu'on devait en attendre » (D'Aubignac, *La Pratique du théâtre* [1659], II, 9).

Des faux départs d'Hippolyte à sa sortie définitive, des tentatives de suicide de Phèdre à sa vraie mort, des vœux à leur accomplissement, la pièce est portée par la dynamique du passage à l'acte : tel est, en filigrane, l'enjeu de l'action. Cette poétique s'avère profondément théâtrale en ce que l'objet du théâtre réside, dans la doctrine aristotélicienne, dans « l'imitation d'action[1] ». Autrement dit, l'action de *Phèdre* peut se lire comme la mise en intrigue et comme la mise en abyme du surgissement de l'acte comme résultat de l'action de personnages agissants, principe fondateur de la théâtralité aristotélicienne. Parallèlement, la pièce est traversée par une dynamique de la manifestation : les rumeurs concernant

---

1. *Poétique*, 1449 b-1450 a.

Thésée prisonnier du royaume des Ombres débouchent sur l'apparition d'un roi bien vivant, les secrets mènent aux aveux et le mensonge à la vérité. Une nouvelle fois, la poétique racinienne possède une théâtralité au second degré en ce que tout théâtre donne à voir[1]. Dans tous les cas, il s'agit de porter à un degré d'existence accomplie une action, un personnage, un sentiment, un fait et donc de rejouer le mécanisme même d'un théâtre d'inspiration aristotélicienne. Comme en témoigne le principe de vraisemblance que valorise le théâtre classique pour ce qu'il permet l'engagement affectif du spectateur amené à accorder un poids d'existence à ce qu'il voit, « image parfaite » d'une « action humaine[2] », ce même théâtre a pour objet de conférer, à travers l'évidence de la manifestation visuelle et la cohérence ainsi que la complétude de l'action, une qualité d'existence aux fictions.

VERS LA QUESTION D'ÉCRITURE

TEXTE 1
Phèdre
⟹ Acte III, scène 2, p. 67-68, v. 813-824

TEXTE 2
Phèdre
⟹ Acte IV, scène 2, p. 83, v. 1065-1076

Après avoir lu ces deux scènes, vous répondrez aux questions suivantes.

QUESTIONS

1. Quels sont les personnages présents dans chaque scène ? Quelle conclusion peut-on en tirer ?

---

1. En grec, le nom *thea*, dont dérive le mot *théâtre*, désigne l'action de regarder, la vue, la contemplation, le spectacle. \ **2.** Tels sont les mots d'Aubignac (*La Pratique du théâtre* [1657], II, 2) qui reprend la définition aristotélicienne du théâtre comme « imitation d'action ».

2. Quel est l'état psychologique de chacun des personnages ?

3. Qu'est-ce qui explique que Phèdre s'adresse à Vénus et Thésée à Neptune ?

4. Les vœux des personnages seront-ils exaucés ?

VERS LE COMMENTAIRE

Commentez la scène 5 de l'acte IV.

⟹ p. 91, v. 1193-1213

Pour préparer le commentaire, vous répondrez aux questions suivantes.

QUESTIONS

1. Déterminez les différents mouvements du texte.

2. De quel sentiment l'héroïne est-elle animée ?

3. En quoi la syntaxe exprime-t-elle le trouble de l'héroïne ?

4. Quel est l'enjeu de la scène dans la progression de l'action ?

Piste 2 : Les personnages de *Phèdre* : des héros « ni tout à fait coupable[s], ni tout à fait innocent[s] »

La définition aristotélicienne de la tragédie éclaire les caractéristiques des héros de la tragédie classique et plus précisément racinienne. Aristote définit la tragédie par sa noblesse, qui l'oppose à la comédie, et par sa finalité, la catharsis[1] : elle a pour but de « purger [l'esprit] de ses passions déréglées[2] » en provoquant « la terreur et la compassion[3] ». D'une part, l'implication affective du spectateur gouverne le principe de vraisemblance : il faut pouvoir croire au spectacle. D'autre part, la crainte

---

1. Voir Aristote, *Poétique*, 1449 b. \ **2.** Tels sont les termes du docte Chapelain dans la *Lettre sur les vingt-quatre heures* (1630). Sur Chapelain, voir l'encadré, p. 157. \ **3.** Voir Racine, préface de *Phèdre*, p. 13.

et la pitié étant des émotions liées à un mécanisme psychologique d'identification, le *caractère* du héros tragique (c'est-à-dire ses traits moraux) doit permettre au spectateur de se reconnaître en lui[1]. Enfin, la mise en place de l'émotion tragique requiert également une mise à distance esthétique propre à la catharsis[2]. Ainsi le héros tragique est-il choisi d'extraction noble, conformément à la majesté du genre. Cela le dote d'une puissance politique et légitime que sa vie soit placée sous le signe du destin et sous le regard des dieux. De plus, il appartient à l'histoire ou à la légende, qui offrent un réservoir de sujets vraisemblables car avérés ou bien connus[3]. Ces sources favorisent une stylisation esthétique en ce qu'elles instaurent un éloignement géographique, temporel ou mythologique entre le spectateur et l'action. Enfin, le héros n'est « ni tout à fait coupable, ni tout à fait innocent ». Comme l'explique Racine, « Aristote, bien éloigné de nous demander des héros parfaits, veut au contraire que les personnages tragiques, c'est-à-dire ceux dont le malheur fait la catastrophe de la tragédie, ne soient ni tout à fait bons, ni tout à fait méchants. Il ne veut pas qu'ils soient extrêmement bons, parce que la punition d'un homme bon exciterait plutôt l'indignation, que la pitié du spectateur ; ni qu'ils soient méchants avec excès, parce qu'on n'a point pitié d'un scélérat. Il faut donc qu'ils aient une bonté médiocre[4], c'est-à-dire une vertu capable de faiblesse, et qu'ils tombent dans le malheur par quelque faute, qui les fasse plaindre, sans les faire détester[5] ».

PHÈDRE : UNE HÉROÏNE DES PLUS TRAGIQUES

Racine accorde au personnage de Phèdre une place de premier plan. En témoignent les titres qu'il choisit pour la pièce, *Phèdre et Hippolyte* et puis *Phèdre* (1687 et 1697), quand ses prédécesseurs français choisissent

---

1. Voir Aristote, *Poétique*, 1453 a. \ **2.** « Si, d'un beau mouvement l'agréable fureur/Souvent ne nous remplit d'une douce terreur,/Ou n'excite en notre âme une pitié charmante,/En vain vous étalez une scène savante ;/[...] » (Boileau, Art poétique [1674], chant III). \ **3.** Voir Aristote, *Poétique*, 1451 b. \ **4.** *Médiocre* : qui relève d'un entre-deux ; « qui est entre le grand et le petit, entre le bon et le mauvais » (*Dictionnaire de l'Académie*, 1694). \ **5.** Racine, préface d'*Andromaque*, 1668 ; voir Aristote, *Poétique*, 1453 a.

Hippolyte pour personnage éponyme[1]. « Pour la conduite de l'intrigue », il suit davantage Sénèque qu'Euripide, ce qui favorise le rôle de l'héroïne[2]. Pour faire briller le personnage, il avait certes à sa disposition le talent de la Champmeslé dont il aurait dirigé lui-même l'interprétation[3]. Mais, plus encore, il se félicite dans sa préface du « caractère » de son héroïne qu'il conçoit comme ce qu'« [il a] peut-être mis de plus raisonnable sur le théâtre[4] » : son personnage « a toutes les qualités qu'Aristote demande dans le héros de la tragédie, et qui sont propres à exciter la compassion et la terreur. En effet, Phèdre n'est ni tout à fait coupable, ni tout à fait innocente[5] ». Selon Racine, la « destinée » de l'héroïne et « la colère des dieux » contribuent à construire cet entre-deux. La passion de Phèdre est coupable mais son origine est présentée comme extérieure à elle, ce qui l'innocente en partie et représente un ressort de l'émotion tragique.

À plusieurs reprises, Phèdre désigne Vénus comme cause de sa passion. Elle suggère qu'elle paie le prix de la haine que la déesse de l'amour voue à sa famille[6]. La faute originelle n'est pas explicitée mais la mention de son ancêtre le Soleil et de la punition de Pasiphaé, sa mère, rendue amoureuse d'un taureau, suffisent à l'identifier : le Soleil a suscité la colère de Vénus contre ses descendants pour avoir dévoilé ses amours adultères avec le dieu Mars. La faute tragique, tare héréditaire d'un « sang fatal[7] », signale à la fois la grandeur d'une héroïne dont les origines sont divines, en même temps qu'elle sanctionne son irresponsabilité.

Néanmoins, au cours de la pièce, la culpabilité de Phèdre s'accroît de son fait : en avouant son amour à Œnone, elle offre à sa confidente la possibilité d'œuvrer pour sa passion ; trompée par la fausse nouvelle de la mort de

---

1. Les deux tragédies d'Euripide, *Hippolyte porte-couronne* et *Hippolyte voilé* (perdue) font également du jeune homme le personnage éponyme. La tragédie de Sénèque porte aussi parfois le titre d'*Hippolyte*. \ **2.** Chez Euripide, Phèdre se suicide au milieu de la pièce, avant le retour de Thésée ; chez Sénèque, son suicide termine l'action. \ **3.** Voir Du Bos, *Réflexions critiques sur la poésie et sur la peinture* (1719), III, 18 et Louis Racine, *Mémoires contenant quelques particularités sur la vie et sur les ouvrages de Jean Racine* (1747). \ **4.** Voir Racine, préface de *Phèdre*, p. 12 et notes correspondantes. \ **5.** Voir Racine, préface de *Phèdre*, p. 13 et notes correspondantes. \ **6.** « Ô haine de Vénus ! Ô fatale colère !/Dans quels égarements l'amour jeta ma mère ! » (I, 3, v. 249-250). \ **7.** Voir vers 51.

Thésée, elle se déclare à Hippolyte[1], se mettant ainsi en position d'être accusée au retour de son mari ; donnant à Œnone la permission d'agir contre Hippolyte, elle porte une part de responsabilité dans le sort de ce dernier, d'autant qu'elle abandonne sa défense auprès de Thésée quand elle apprend son amour pour Aricie. Dans ce mouvement d'alourdissement de la culpabilité, l'erreur occupe une place essentielle : Phèdre se trompe en considérant la mort de Thésée comme acquise et en plaçant sa confiance en Œnone. Or l'erreur est un moyen habile pour construire un héros « médiocre » qui, dès lors qu'il n'est pas coupable par méchanceté, est susceptible d'émouvoir les passions du public. Et comme il l'affirme dans la préface, Racine a en effet eu soin de camper une Phèdre pleine de « sentiments si nobles et si vertueux », ne serait-ce que parce qu'elle a « horreur [de son crime] toute la première ». La pureté morale de l'héroïne lui assure une autre part d'innocence qui se marie paradoxalement avec sa culpabilité. Et plus habilement encore, innocence et culpabilité servent la cohérence du *caractère* : les débordements passionnels de Phèdre légitiment l'aveuglement qui est le sien.

Dans sa préface, Racine associe l'analyse de son héroïne à celle de sa nourrice. Il se justifie d'avoir attribué, à la différence de ses sources antiques, la calomnie sur Hippolyte à la nourrice et non à Phèdre[2]. Cette invention ôte d'une part à Phèdre la responsabilité d'une action immorale, et d'autre part contribue à la cohérence des personnages, ce qui favorise leur vraisemblance : en qualité de « princesse » et selon sa condition d'héroïne tragique, Phèdre manifeste sa noblesse et sa vertu dans ses actions tandis que, par sa condition humble qui la dote d'« inclinations plus serviles », Œnone peut être chargée d'une « bassesse » déterminée par son dévouement à sa maîtresse[3]. Ces considérations relèvent d'un code classique, celui des bienséances : la vraisemblance engage le respect d'une logique interne (bienséance interne) et une conformité avec les attentes du public (bienséance externe). Ainsi, en accord avec la bienséance

---

1. C'est là « une des principales causes de son malheur » selon Racine (préface de *Phèdre*, p. 12). \ 2. Voir Racine, préface de *Phèdre*, p. 12 et note correspondante. \ 3. Voir Racine, préface de *Phèdre*, p. 12.

interne, la vertu de Phèdre répugne à la calomnie tandis qu'une telle
« bassesse » correspond à l'état « servile » d'Œnone.

LE TRAGIQUE HIPPOLYTE

Le premier titre choisi par Racine, *Phèdre et Hippolyte*, suggère que ces
deux héros sont étroitement liés l'un à l'autre dans l'esprit du dramaturge.
De fait, la dimension tragique du personnage de Phèdre repose aussi sur
l'objet même de sa passion, le prince Hippolyte, fils de son mari Thésée,
qui lui est par conséquent doublement interdit sous peine d'adultère et
d'inceste. Or, selon Aristote, les situations propres à créer des émotions
tragiques sont celles où surgit une violence au sein d'alliances[1]. Ainsi les
relations familiales qui unissent les personnages représentent-elles une
composante du dispositif tragique.

Hippolyte possède une noblesse conforme à sa condition princière et qui
confère, sinon une légitimité, du moins une vraisemblance à l'amour de
Phèdre. Habile dans les arts équestres, il fait montre de son courage
devant le monstre marin[2]; sa « grandeur d'âme » se manifeste lorsqu'« il
épargne l'honneur de Phèdre, et se laisse opprimer sans l'accuser[3] », et sa
piété filiale paraît en ce qu'il ne s'autorise pas, par respect pour son père,
à avouer son amour à Aricie qu'une fois qu'il croit Thésée mort. Aussi
Aricie ne se prive-t-elle pas d'avancer, pour sa défense, la vertu de la vie
passée d'Hippolyte[4], tandis que le fils avoue à son père irrité que « Phèdre
au fond de son cœur [lui] rend plus de justice[5] » que lui. Surtout, « digne
fils d'un héros[6] », Hippolyte se voit prêter par Phèdre, qui avoue et excuse
ainsi son amour, une forte ressemblance avec Thésée[7].

Pourtant, Hippolyte n'est pas irréprochable. Comme Phèdre, il n'est « ni
tout à fait coupable, ni tout à fait innocent ». Racine le souligne dans sa
préface. Pour justifier de s'être écarté d'Euripide à qui on aurait reproché
un Hippolyte « philosophe exempt de toute imperfection », il dote son

---

1. Aristote, *Poétique*, 1453 b. \ 2. « Hippolyte lui seul digne fils d'un héros,/Arrête ses coursiers,
saisit ses javelots,/Pousse au monstre [...] » (V, 6, v. 1527-1529). \ 3. Racine, préface de *Phèdre*,
p. 13. \ 4. Voir V, 2, v. 1427-1433. \ 5. Voir IV, 6, v. 1138. \ 6. Voir v. 1527. \ 7. Voir II, 5, v. 627 et
suiv.

héros d'une « faiblesse » propre à le rendre « médiocre », à savoir l'amour pour une jeune fille qui lui est interdite. Racine suit en cela quelques-uns de ses prédécesseurs français, dont Gilbert, qui avaient engagé Hippolyte dans une intrigue amoureuse[1]. Dans la tradition antique, Hippolyte rendait un culte à la chaste Diane (Artémis), déesse de la chasse, méprisant la déesse de l'amour (Aphrodite chez les Grecs, Vénus chez les Latins), ce qui ajoutait un motif supplémentaire de colère à cette dernière et rendait le héros coupable de démesure[2]. Racine conserve en partie cet aspect du personnage. Il le peint « orgueilleux et sauvage[3] », propre à inspirer la colère de Vénus, comme le rappelle explicitement Phèdre[4], et tire également profit de ce trait psychologique pour signifier la puissance irrésistible de son amour pour Aricie.

D'une part, l'habileté de l'invention de ce personnage féminin, que Racine dit avoir emprunté à divers auteurs[5], réside dans le statut politique qu'il lui assigne. Parce qu'elle est ennemie héréditaire de Thésée et de ses descendants, l'épisode galant constitué par ses amours avec Hippolyte revêt un enjeu dynastique et s'articule étroitement au fil de l'intrigue relatif à la mort et au retour de Thésée. De plus, le sentiment qu'Hippolyte nourrit pour Aricie porte en germe un conflit entre le père et le fils, relevant du grand ressort tragique aristotélicien de « surgissement de la violence au sein des alliances[6] ». D'autre part, l'amour d'Hippolyte et d'Aricie sert la construction de la culpabilité de Phèdre : c'est en effet lorsqu'elle apprend cet amour et dans l'aveuglement de la jalousie que l'héroïne, pourtant pleine de remords qui témoignent de sa vertu, renonce à défendre Hippolyte auprès de Thésée.

THÉSÉE : PÈRE TRAGIQUE ET HÉROS MYTHIQUE

Personnage principal de maints mythes héroïques, glorieux tueur de monstres pouvant rivaliser avec Hercule, souverain d'Athènes et pour

---

1. Mais, chez Gilbert, Hippolyte est amoureux de Phèdre, seulement fiancée à Thésée. \ **2.** La démesure, ou *hybris* en grec, est une faute capitale pour les Grecs. \ **3.** Voir vers 129. \ **4.** Voir III, 2. \ **5.** Voir préface, p. 12. Chez Pradon, Hippolyte est aussi amoureux d'une Aricie. \ **6.** Aristote, *Poétique*, 1453 b.

certains fils de Neptune, Thésée est un héros dans bien des sens du terme[1]. Sa dimension mythique le recommande tout particulièrement pour la scène tragique, tout comme sa qualité de père sacrifiant à sa femme, sous l'emprise de la colère et de l'erreur, son fils bien-aimé. À travers ce sacrifice se manifeste en effet « le surgissement de la violence au sein des alliances ».

La grandeur du personnage, rappelée à plusieurs reprises, notamment par l'évocation de ses exploits dans la scène 1 de l'acte I, est fidèle à la tradition. Mais elle se double de failles qui composent à nouveau un personnage « ni tout à fait coupable, ni tout à fait innocent ». La première faute de Thésée réside dans ses aventures galantes, que réprouve le chaste Hippolyte. Et c'est l'une de celles-ci, dont il n'est alors que le personnage secondaire, qui le retient trop longtemps loin de chez lui. Ressort dramatique essentiel, cette absence permet la fausse nouvelle de sa mort et ne l'amène sur scène qu'à l'acte III, c'est-à-dire trop tard, puisque Phèdre, Hippolyte et Aricie se sont alors déclarés. En outre, le voyage de Thésée fournit l'occasion de la réunion à Trézène des trois personnages : avant de partir, le roi confie la reine et la captive à son fils. Enfin, à nouveau mais cette fois indirectement, l'amour gouverne la culpabilité du héros tragique. L'autre défaillance de Thésée réside dans son erreur, qui l'amène à accorder sa confiance à la calomnieuse Œnone.

Chez Thésée l'erreur conduit à la colère, à l'inverse de ce qui se produit pour Phèdre, chez qui la passion suscite l'aveuglement. Néanmoins, dans les deux cas, les transports d'une passion légitiment la transgression de la bienséance interne : un père ne devrait pas plus sacrifier son fils qu'une belle-mère l'aimer. Et surtout, l'emportement conduit les deux personnages à invoquer un secours divin qui se retourne contre eux. Phèdre demande à Vénus de se venger d'Hippolyte en le faisant aimer[2], puis apprend pour son malheur ses sentiments pour Aricie, tandis que Neptune fait surgir un monstre des flots à l'encontre d'Hippolyte et que ce dernier en meurt

---

1. En grec, le héros est d'abord un chef militaire de la guerre de Troie ou un demi-dieu ; en français, le mot désigne également un personnage de premier plan et un homme de valeur. \ **2.** Voir III, 2.

pour le plus grand malheur de son père. Plus proches du monde des dieux que les jeunes Hippolyte et Aricie, Thésée et Phèdre représentent en cela des personnages porteurs d'un tragique plus originel, plus ancien, plus mystérieux.

Phèdre, Hippolyte et Thésée, héros tragiques, « médiocres », conçus dans le droit fil de la *Poétique* d'Aristote, illustrent par les relations familiales qui les unissent le « surgissement de la violence au sein des alliances ». Passion adultère et incestueuse chez Phèdre, sentiment chaste chez Hippolyte, débordements galants de Thésée, l'amour représente chez les trois personnages une faille où surgissent faute et culpabilité. Oublieux de leur situation familiale, de leur qualité princière et de leur gloire, leur amour entre en conflit avec leur noblesse attendue, de sorte que l'intérêt amoureux et particulier se mêle inextricablement à un enjeu politique, conformément à la définition de la tragédie, grand genre opposé à la basse comédie. Les deux dieux tutélaires de la pièce, Vénus et Neptune, emblématisent cela. La première gouverne à l'amour, le second aux glorieux arts équestres. Et tous deux ont à voir avec l'océan – Vénus en naît et Neptune y règne –, symbole de gloire pour les héros voyageurs comme Thésée[1] mais également symbole des passions, ainsi que le rappelle Hippolyte[2].

VERS L'ÉCRITURE D'INVENTION

⇒ Préface de *Phèdre*, p. 11-15

Racine a choisi, comme Sénèque, de faire mourir Phèdre à la dernière scène. Chez Euripide, elle meurt avant le retour de Thésée. Vous imaginerez quelques paragraphes de préface où Racine justifie ce choix.

Pour préparer ce sujet, vous répondrez aux questions suivantes.

---

1. Voir II, 5, v. 257. \ **2.** Voir II, 1.

1. Quelles sources d'inspiration Racine revendique-t-il dans sa préface ?
2. Quel est le registre dominant dans la préface de Racine ?
3. En quoi réside, selon Racine, la réussite du personnage de Phèdre ?
4. Quelle place Phèdre occupe-t-elle au sein du système des personnages ?
5. Quels effets peut-on par conséquent tirer du traitement de la mort de Phèdre à la fin de la pièce ?

Piste 3 : Phèdre : une tragédie classique

Dans sa préface, Racine se recommande de l'exemple des Anciens : il avance des références majeures, dites classiques, Euripide, Sénèque, Virgile, Plutarque, Aristote, Socrate. Il se montre en cela un tenant du classicisme. En effet, ce mouvement, héritier de l'humanisme renaissant, se distingue, entre autres, par une prédilection pour l'imitation des grands modèles[1]. Une telle admiration pour la grande Antiquité s'exprime dans le goût pour la tragédie, genre ancien, valorisé par Aristote pour sa noblesse et son caractère englobant (par rapport à l'autre genre noble qu'est l'épopée)[2]. Sous l'autorité de ce philosophe, qui en formule les exigences dans son traité la *Poétique*, le XVIIe siècle met au point une stricte codification du genre de la tragédie (voir encadré p. 157) qui influence l'esthétique de *Phèdre*. Au fondement de la doctrine classique, la définition aristotélicienne de la catharsis, comme finalité de la tragédie, suppose une adhésion du public à même dès lors de ressentir « la terreur et la compassion[3] ». Ce principe gouverne la règle des trois unités, le code des bienséances, et plus largement l'impératif de vraisemblance.

---

1. La préface de *Phèdre* met en avant le modèle que constitue Euripide, aux dépens de Sénèque, dont pourtant Racine s'inspire davantage. Mais le Grec passe pour « extrêmement tragique », selon la préface d'*Iphigénie* (1676), qui revendique par ces termes la traduction du jugement d'Aristote (*Poétique*, 1453 a). \ **2.** Voir Aristote, *Poétique*, 1449 b. \ **3.** Racine, préface de *Phèdre*, p. 13.

LES TROIS UNITÉS

L'unité d'action

La règle des trois unités représente le volet le plus fameux de la dramaturgie classique. L'exigence de l'unité d'action s'inscrit dans la continuité directe d'Aristote. À sa suite[1], les doctes recommandent l'unicité du sujet et la complétude de l'action ainsi que la cohérence logique de ses composantes. Ils stipulent également que les intrigues secondaires (épisodes) doivent être distinctes de l'intrigue principale et subordonnée à elle. Leur argumentation est la suivante. D'une part, une œuvre commande un sujet unique et par conséquent une seule action. D'autre part, l'impératif de persuasion implique de ne pas multiplier les actions sous peine de disperser le talent de l'auteur et l'attention du spectateur. Derrière cette unité, se cache ainsi un idéal de simplicité, tel qu'il est représenté chez Racine[2].

Dans *Phèdre*, l'unité d'action repose sur l'unicité du sujet, à savoir la mort de Phèdre, sur la complétude de l'intrigue en ce que le sort de tous les personnages est fixé lors du dénouement ainsi que sur la cohésion de l'ensemble et la subordination des épisodes au fil de l'intrigue principale.

D'une part, Racine règle l'enchaînement des rencontres et des événements selon une logique causale. Par exemple, la nouvelle de la mort de Thésée ouvre une crise dynastique qui légitime l'entrevue d'Hippolyte avec ses deux rivales politiques, Aricie et Phèdre. Autre exemple, les protestations de dévouement absolu d'Œnone à l'égard de Phèdre font de son suicide la conséquence logique de son reniement par sa maîtresse. D'autre part, l'épisode galant des amours d'Hippolyte et Aricie est subordonné à l'intrigue principale en ce qu'il constitue un obstacle supplémentaire à l'amour de Phèdre.

> **Épisode** : intrigue secondaire ; « [...] ces épisodes, ou secondes histoires, doivent être tellement incorporés au principal sujet, qu'on ne les puisse séparer sans détruire tout l'ouvrage [...] » (D'Aubignac, *La Pratique du théâtre* [1659], II, 5).

---

1. Voir Aristote, *Poétique*, 1451 a. \ **2.** Dans la préface de *Britannicus* (1670), Racine prend ainsi le parti d'« une action simple, peu chargée de matière ».

L'unité de temps et l'unité de lieu

Garantir l'illusion théâtrale : l'unité de temps, seulement esquissée par Aristote[1], exige une journée de 12 ou 24 heures comme cadre temporel de l'action ; l'unité de lieu, invention moderne, impose un lieu unique à l'action. Comme pour l'unité d'action, ces deux règles tendent à garantir l'adhésion du spectateur, propre à « exciter » en lui les émotions tragiques définies par Aristote, à savoir « la compassion et la terreur[2] ». Mais elles relèvent encore davantage d'un souci de vraisemblance : elles servent l'illusion du vrai par la coïncidence qu'elles visent entre, d'une part, l'espace et de le temps de la représentation, et, d'autre part, le lieu et la durée de l'action[3].

Phèdre *et l'unité de lieu* : comme Euripide, mais à la différence de Sénèque et de ses prédécesseurs français, Racine choisit de situer l'action de *Phèdre* à Trézène : ville de Pitthée, arrière-grand-père d'Hippolyte, le lieu constitue un repli logique pour le personnage. Quant à la présence de Phèdre et d'Aricie à Trézène, il a soin de la justifier explicitement : Hippolyte rappelle qu'avant son départ, Thésée y a laissé à sa garde sa chère femme et sa dangereuse ennemie[4]. Plus précisément, et conformément à la règle de l'unité de lieu, l'action ne requiert pas de changement de décor. Elle prend place dans un intérieur dont la neutralité permet les diverses rencontres entre les personnages. Le mémoire des décorateurs de l'Hôtel de Bourgogne en témoigne, qui décrit, en 1678, le décor en ces termes : « Théâtre est un palais voûté. Une chaise pour commencer. »

Phèdre *et l'unité de temps* : deux vers de Phèdre soulignent l'écoulement du temps au cours de la pièce et rappellent l'exigence de faire tenir l'action en une journée : « Je mourais ce matin digne d'être pleurée./J'ai suivi tes conseils, je meurs déshonorée » (III, 3, v. 837-838). Plus largement, si, au sein des actes, les scènes s'inscrivent dans la continuité temporelle les

---

1. Voir Aristote, *Poétique*, 1449 b. \ **2.** Voir Racine, préface de *Phèdre*, p. 11. \ **3.** Chapelain, *Lettre sur les vingt-quatre heures* : « Je pose pour fondement que l'imitation en tout poème doit être si parfaite qu'il ne paraisse aucune différence entre la chose imitée et celle qui imite, car le principal effet de celle-ci consiste à proposer à l'esprit, pour le purger de ses passions déréglées, les objets comme vrais et comme présents […]. » \ **4.** Voir III, 5, v. 928-931.

unes des autres, ainsi que le marque l'annonce anticipée des entrées, les modalités de l'enchaînement des actes témoignent également du respect racinien de l'unité de temps. Aux premiers vers de l'acte II, Aricie vient d'apprendre qu'Hippolyte la cherche et le spectateur, au fait de l'amour d'Hippolyte, conçoit sans mal qu'un laps de temps fort réduit sépare l'annonce de « la mort de Thésée », tout juste connue depuis l'avant-dernière scène de l'acte I, et le « premier effet » de cette mort (v. 369). Au début de l'acte III, en réaction à l'avant-dernière scène de l'acte II, Phèdre se remémore sa mise à mort manquée avec l'épée d'Hippolyte. À nouveau, le spectateur suppose un intervalle temporel très court entre les actes : la force de la passion de Phèdre commande chez elle un contrecoup rapide. Entre l'acte III et l'acte IV, Racine ménage une ellipse : il fait l'économie de la calomnie d'Œnone, dont il montre seulement les effets immédiats sur Thésée. Cependant, l'espace temporel qui sépare les actes est encore fort bref : la scène 1 de l'acte IV, qui confronte Thésée à Œnone, semble la suite temporelle et logique de la scène 5 de l'acte III où Thésée sort mener son enquête auprès de Phèdre. Enfin, l'acte V s'ouvre sur le départ d'Hippolyte, conséquence du bannissement du fils par le père à la scène 2 de l'acte précédent. En outre, les vers 1155-1156, par lesquels Thésée presse le départ d'Hippolyte, suggèrent la promptitude de ce dernier à accomplir l'ordre paternel. Ainsi, tout au long de la pièce, le temps de l'action tend à s'approcher du temps de la représentation. Le spectateur y est d'autant plus sensible que, dans la dernière moitié de la pièce, la hâte et l'urgence dominent le comportement de Thésée, impatient de connaître la vérité, de voir ses vœux accomplis, ou encore inquiet du sort de son fils.

LES BIENSÉANCES

Bienséance interne et bienséance externe

Afin d'appuyer la vraisemblance, la doctrine classique revendique également un double ensemble de convenances, les bienséances internes, relatives aux personnages, et les bienséances externes, relatives au public. Si le critère de la bienséance interne explique le choix racinien de faire supporter à Œnone, la nourrice, et non à Phèdre, la princesse, le poids de la calomnie, ainsi qu'il l'explique dans sa préface[1], en revanche, le report hors scène de la calomnie et l'amoindrissement du crime[2] relèvent de la bienséance externe. Celle-ci commande en effet de ne pas représenter ce que le public juge moralement inconvenant. Dans le cas contraire, le spectateur ne pourrait reconnaître dans le héros un autre lui-même, et par conséquent, ne serait susceptible à son égard ni de compassion, ni de crainte. Ainsi, la référence directe à la sexualité ainsi que le viol sont condamnés, car trop choquants.

L'immoralité du sujet

À ce titre, le dernier paragraphe de la préface de Racine, où il défend la moralité de sa pièce et plus largement celle de la tragédie et du théâtre, constitue certes une prise de position dans la querelle de la moralité du théâtre qui oppose dans la seconde moitié du siècle les défenseurs et les contempteurs de cet art. Mais il révèle aussi les tensions propres au classicisme racinien : dans son désir classique d'imiter les Anciens, et en premier lieu le grand tragique Euripide, Racine porte à la scène une passion adultère et incestueuse, propre à choquer ses contemporains. En témoigne la *Dissertation sur les tragédies de Phèdre et Hippolyte* : « [...] outre l'horreur que nous avons pour ces sortes de crimes, la pureté de nos mœurs, et la délicatesse de notre Nation ne peuvent envisager Phèdre sans frémir. [...] on voit même qu'à mesure que les termes d'inceste et d'incestueux frappent nos oreilles, leur idée glace nos cœurs. J'ai vu des Dames les moins délicates, n'entendre ces mots dont la Pièce est farcie, qu'avec le dégoût que donnent les termes les plus libres [...]. » Racine répond à de tels reproches par la prise en considération de la conclusion de sa pièce : « Les moindres fautes [...] sont sévèrement punies. » De fait, trois morts rythment le dénouement.

---

1. Voir Racine, préface de *Phèdre*, p. 12. \ **2.** « Hippolyte est accusé, dans Euripide et dans Sénèque, d'avoir en effet violé sa belle-mère [...] Mais il n'est ici accusé que d'en avoir eu le dessein » (préface de *Phèdre*, p. 12). Cependant Racine invoque un autre argument : « J'ai voulu épargner à Thésée une confusion qui l'aurait pu rendre moins agréable aux spectateurs ». Il épargne au roi la honte d'un cocuage, contraire aussi bien à sa condition royale qu'à la qualité pathétique du personnage.

Ne pas ensanglanter la scène

Autre réalité susceptible de heurter mais ingrédient fréquent des dénouements tragiques, la mort fait l'objet de diverses prescriptions qui en réglementent la représentation scénique. Tout d'abord, la doctrine classique interdit d'ensanglanter la scène. Ainsi, Racine s'écarte d'Euripide et de Sénèque : chez le Grec, Hippolyte est ramené sur scène juste à temps pour se réconcilier avec son père et mourir de ses blessures ; chez le Latin, le cadavre mutilé du jeune homme est apporté sur scène et également exposé au spectateur. Pour traiter la mort d'Hippolyte, Racine suit la tradition, remontant au même Euripide, d'une longue narration relatant la mort accomplie hors scène, et la prête, pour plus de pathétique, à Théramène, le gouverneur du jeune homme. Pour la mort de Phèdre, seule représentée sur scène, comme chez Sénèque, il choisit le poison et non l'épée comme son prédécesseur latin : la vue du sang est épargnée au public tandis que le poison, comparant de l'amour dans la pièce comme dans l'imaginaire collectif, symbolise le fait que la passion de Phèdre est cause de sa fin. En outre, Phèdre meurt juste avant la dernière réplique de Thésée : conformément aux règles des bienséances, son cadavre reste peu de temps exposé au regard du spectateur.

Sur les trois morts, deux sont des suicides, c'est-à-dire des actes violents et des fautes graves au regard de la religion chrétienne. Cependant, la doctrine classique les admet sous condition. Le moyen choisi par Racine pour Œnone et peut-être emprunté à Gilbert, à savoir la noyade, facilite un report hors scène en accord avec l'unité de lieu. Il offre également l'avantage dramatique de rappeler à Thésée le péril que Neptune, seigneur des flots, représente pour son fils.

VRAISEMBLANCE ET MERVEILLEUX

La mise à distance du surnaturel

L'impératif de vraisemblance et plus largement la nécessité de persuader le public conduisent les théoriciens à réfléchir au traitement du merveilleux et de l'extraordinaire, incroyables mais parfois requis par le sujet. En l'occurrence, le sujet de *Phèdre* comporte des données surnaturelles, acceptables car déjà connues du public, mais que Racine s'attache néanmoins à concilier avec la vraisemblance : « Ainsi j'ai tâché de conserver la vraisemblance de l'histoire, sans rien perdre des ornements de la fable, qui fournit extrêmement à la poésie[1]. » À la différence de la pièce d'Euripide[2], mais comme chez Sénèque, aucun dieu n'apparaît sur scène : Neptune et Vénus sont seulement invoqués par les personnages. Le monstre marin, responsable du sort d'Hippolyte, n'est pas représenté non plus et son apparition est soumise à la caution d'une narration qui traite – qui plus est – comme un « on-dit » la possible intervention de Neptune[3]. De même, les monstres vaincus par Thésée sont évoqués, dans la première scène, à travers le souvenir de récits passés. En outre, comme il l'explicite dans sa préface, Racine n'emprunte à la légende le voyage aux Enfers de Thésée que pour le traiter comme un « bruit » infondé, rendu à sa vérité par le récit du roi inspiré par la version rationalisée du mythe que fournit Plutarque[4] : l'« incroyable[5] » séjour aux Enfers était en fait la captivité « dans les prisons d'Épire » (v. 978). Le même souci de vraisemblance explique que Racine donne seulement six frères à Aricie, au lieu des cinquante Pallantides que compte Plutarque.

Mythe et fatalité

Le traitement racinien du merveilleux mythique rejaillit sur le statut de la fatalité. Celle-ci comporte certes une part de merveilleux. Un « monstre furieux » (v. 1516), sorti des flots comme Vénus[6], « dragon » et « taureau » à la fois (v. 1519), cause l'effroi des chevaux d'Hippolyte, et par là, la mort du héros. Or, pathétique et illustre, cette infortune relève de la fatalité tragique. Plus encore, à travers elle, s'exprime une force qui contraint les

---

1. Racine, préface de *Phèdre*, p. 13. \ **2.** Dans *Hippolyte porte-couronne*, Aphrodite et Artémis apparaissent sur scène. \ **3.** Voir V, 5, v. 1539. \ **4.** Voir Racine, préface de *Phèdre*, p. 11 et *Phèdre*, III, 5, v. 957 et suiv. Le récit de Thésée se sépare de Plutarque en ce que, chez Racine, Thésée doit sa libération à lui seul et non au demi-dieu Hercule. Cette transformation occulte une autre donnée du mythe porteuse de merveilleux. \ **5.** Tel est l'adjectif utilisé par Ismène à propos des « discours » (II, 1, v. 380 et suiv.), c'est-à-dire des récits relatant, conformément à la version traditionnelle de la légende, le « voyage fabuleux » de Thésée aux Enfers (préface de *Phèdre*, p. 12). \ **6.** Dans la légende, la déesse de l'amour naît de l'écume – d'où son surnom d'« anadyomène ».

héros malgré eux. Par elle, le vœu de Thésée se retourne contre lui ainsi que l'en a prévenu Aricie[1] ; par elle, Hippolyte s'acquiert pour son malheur la gloire du tueur de monstre qu'il souhaitait[2] ; par elle, se vérifie l'assertion d'Hippolyte que son père ne saurait invoquer Neptune en vain[3]. Grâce à l'ironie tragique, procédé qui consiste, dans un énoncé à double entente, à prêter aux personnages une formulation inconsciente de leur destin, le spectateur, connaissant le mythe, est rendu d'autant plus sensible à la fatalité qui gouverne le sort du malheureux Hippolyte.

Cependant, la dimension proprement mythique d'une telle fatalité est soulignée par le traitement énonciatif du merveilleux : celui-ci relève non du spectaculaire mais de la parole[4], en l'occurrence de la narration de Théramène qui, en outre, met ce caractère « mythique » en abyme par la mention de l'intervention de Neptune à travers un « on-dit ». D'une manière analogue, seul le discours de Phèdre attribue sa fatale passion à la « haine de Vénus » (v. 249). Au contraire, Phèdre est reconnue comme étant elle-même le « monstre[5] ». Cette intériorisation de la fatalité s'accorde avec la dimension passionnelle des culpabilités : amour ou colère, les passions, surmontant les héros malgré eux, exercent sur eux une force fatale.

Le monstrueux

Le traitement du thème de la monstruosité est à ce titre remarquable. Tandis que les monstres merveilleux appartiennent à la mémoire, au passé et aux récits des personnages, ceux-ci se reconnaissent dans le présent de l'action une monstruosité psychologique : Aricie compare Phèdre aux

---

1. Voir V, 3, v. 1434-1438. \ 2. Voir par exemple III, 5, v. 948-952. En outre, l'infortune d'Hippolyte est reliée à l'identité que formule son nom. Si l'on considère qu'en grec, « Hippolyte » signifie « celui qui libère les chevaux », la faute du héros paraît une trahison de son identité : après avoir, par amour, délaissé les arts équestres, il meurt de s'être laissé emprisonner dans les rênes de ses chevaux, qui eux-mêmes n'échappent ni à la peur, ni à leur harnachement. Dans son annotation sur le « Tableau d'Hippolyte » dans sa traduction des *Images ou Tableaux de plate peinture* de Philostrate (1re éd. 1578), fréquemment réédité au XVIIe siècle, B. de Vigenère note qu'« Hippolyte […] signifie démembré des chevaux ». Cette autre lecture fait peser sur le héros le poids d'un destin fatal associé par son nom à son identité. \ 3. Voir II, 5, v. 621-622. \ 4. *Mythe* vient du nom grec *muthos*, qui signifie d'abord « parole, discours ». Le mot *légende* vient du latin *legenda*, qui désigne « ce qui doit être lu ». \ 5. Voir par exemple II, 5, v. 703.

monstres vaincus par Thésée[1] ; la reine voit dans Hippolyte un « monstre effroyable » (v. 884) et dans Œnone un « monstre exécrable » (v. 1317), tandis que le fils paraît au père un «[m]onstre, qu'a trop longtemps épargné le tonnerre » (v. 1045). Or, dans son sens étymologique, le *monstre* est un avertissement divin donné à voir aux hommes. C'est-à-dire qu'à la fois il possède une valeur théâtrale[2] et manifeste une transcendance. Par l'évocation du Minotaure, manifestation de la colère de Vénus contre les descendants du Soleil, ou par celle de la créature marine responsable de la mort d'Hippolyte, Racine avive cette valeur originelle de la monstruosité. Signe visible d'un au-delà de l'homme, le monstre constitue ainsi, dans sa variante psychologique, un moyen pour construire une fatalité sans surnaturel et par là plus vraisemblable.

La formation de la doctrine classique

La mise au point de la tragédie classique, à travers la réflexion des doctes, la pratique des auteurs et sous l'égide de la *Poétique* d'Aristote, s'opère en plusieurs étapes. Se séparant de la tragédie déplorative de la Renaissance, Hardy inaugure dans le premier tiers du XVIIe siècle une tragédie nouvelle où le héros lutte contre la fatalité. Puis, les règles de composition classique se fixent à partir des années 1620 sous la plume des théoriciens, notamment de Chapelain, rédacteur, entre autres, des *Sentiments de l'Académie sur la tragi-comédie du Cid* (1638). *La Sophonisbe* (1634) de Mairet est considérée comme la première tragédie selon les règles classiques, tandis que la querelle du *Cid* (1637) contribue à populariser celles-ci. En 1657, *La Pratique du théâtre* de d'Aubignac en fournit un long exposé et les justifie tandis qu'en 1660, dans trois *Discours*, placés en tête de chaque tome de ses *Œuvres collectives*, Corneille défend son système dramatique et ses écarts au regard de la norme classique.

Par sa fidélité à l'héritage antique, manifeste dans le choix d'un sujet mythique, dans l'imitation de l'*Hippolyte porte-couronne* d'Euripide et de la *Phèdre* de Sénèque, ainsi que dans la mise en œuvre d'une dramaturgie inspirée par la *Poétique* d'Aristote et formulée par les doctes, *Phèdre* brille par son classicisme. L'équilibre, la clarté et la simplicité de sa structure en sont également une composante. Cependant, la pièce manifeste également les tensions propres à l'idéal classique : ainsi que l'attestent ses

---

1. Voir V, 2, v. 1443-1446. \ **2.** *Monstre* et *montrer* appartiennent à la même famille étymologique.

justifications dans la préface, Racine est conduit, tantôt à s'écarter de ses modèles pour satisfaire aux exigences de la doctrine classique, et tantôt critiqué au nom de ces mêmes exigences pour sa fidélité à ses sources. Reconstructions modernes à partir de matériaux et de préceptes anciens, la théorie et la pratique théâtrale du XVIIᵉ siècle renouvellent le genre de la tragédie en accord avec les enjeux du siècle.

VERS LA DISSERTATION

Dans la préface de *Phèdre*, Racine écrit : « Il serait à souhaiter que nos ouvrages fussent aussi solides et aussi pleins d'utiles instructions que ceux de ces poètes [antiques]. Ce serait peut-être un moyen de réconcilier la tragédie avec quantité de personnes célèbres par leur piété et par leur doctrine[1], qui l'ont condamnée dans ces derniers temps, et qui en jugeraient sans doute plus favorablement, si les auteurs songeaient autant à instruire leurs spectateurs qu'à les divertir, et s'ils suivaient en cela la véritable intention[2] de la tragédie. » Pensez-vous, comme Racine, que l'objet du théâtre soit l'instruction plutôt que le divertissement du public ? Vous construirez une réponse organisée et argumentée en vous appuyant sur des exemples précis tirés du corpus, des lectures faites en classe et de votre culture personnelle.

Pour préparer la dissertation, répondez aux questions suivantes.

QUESTIONS

1. Identifiez les mots clefs de la citation et la thèse qu'elle soutient.
2. Dégagez les implications d'une telle thèse.

---

1. *Doctrine* : « savoir, érudition » (*Dictionnaire de l'Académie*, 1694). Racine pense sans doute au janséniste Pierre Nicole, dont le *Traité sur la comédie* avait été réédité deux ans plus tôt, ainsi qu'à d'autres, comme peut-être le prince de Conti, libertin repenti, dont le *Traité de la comédie et des spectacles* avait paru en 1666. \ **2.** *Intention* : « [ce vers quoi] on tend, on vise à quelque fin » (*Dictionnaire de l'Académie*, 1694).

3. Cherchez des exemples qui peuvent permettre de l'étayer. Formulez les arguments correspondants.

4. Cherchez des exemples qui contredisent la thèse. Formulez les arguments correspondants.

OBJECTIF BAC

1 Le dénouement théâtral

Objet d'étude : Le théâtre, texte et représentation

DOCUMENTS

A. RACINE, **Phèdre** (1677), V, scène dernière
B. MARIVAUX, **La Double Inconstance** (1723), III, 10
C. ALFRED DE MUSSET, **Les Caprices de Marianne** (1833), II, 6

DOCUMENT A

RACINE, **Phèdre** (1677), V, scène dernière en entier
➡ p. 110-119, v. 1594-1654

> *Dans cette ultime scène, Phèdre mourante, à l'annonce de la disparition tragique d'Hippolyte, avoue à Thésée qu'elle lui a menti et que son beau-fils n'a jamais conçu d'amour pour elle.*

DOCUMENT B

Marivaux, *La Double Inconstance* (1723), III, 10

> *Le prince Lélio est amoureux de la bergère Silvia qui aime Arlequin dont elle est aimée. Au terme d'une intrigue où Lélio, déguisé, réussit à susciter l'amour de Silvia, tandis que Flaminia, dame de la cour, séduit Arlequin, le couple originel se défait et deux nouveaux mariages se décident.*

Acte III

Scène dernière

ARLEQUIN. – J'ai tout entendu, Silvia.

SILVIA. – Eh bien, Arlequin, je n'aurai donc pas la peine de vous le dire ; consolez-vous comme vous pourrez de vous-même ; le Prince vous parlera, j'ai le cœur tout entrepris[1] : voyez, accommodez-vous,

5   il n'y a plus de raison à moi, c'est la vérité. Qu'est-ce que vous me diriez ? que je vous quitte. Qu'est-ce que je vous répondrais ? que je le sais bien. Prenez que vous l'avez dit, prenez que j'ai répondu, laissez-moi après, et voilà qui sera fini.

LE PRINCE. – Flaminia, c'est à vous que je remets Arlequin ; je

10   l'estime et je vais le combler de biens. Toi, Arlequin, accepte de ma main Flaminia pour épouse, et sois pour jamais assuré de la bienveillance de ton prince. Belle Silvia, souffrez que des fêtes qui vous sont préparées annoncent ma joie à des sujets dont vous allez être la souveraine.

15   ARLEQUIN. – À présent, je me moque du tour que notre amitié nous a joué ; patience, tantôt nous lui en jouerons d'un autre[2].

DOCUMENT C

Alfred de Musset, *Les Caprices de Marianne* (1833), II, 6

> *Cœlio est amoureux de Marianne. Mais celle-ci est mariée au vieux juge Claudio. Il charge Octave, le cousin de Marianne, de jouer les intermédiaires. Octave obtient un rendez-vous, dont il fait profiter Cœlio. Mais celui-ci tombe dans un guet-apens tendu par le mari jaloux et meurt assassiné.*

---

1. *Entrepris* : embarrassé. \ **2.** *Jouer d'un tour* : jouer un tour.

Acte II

Scène dernière

Un cimetière. OCTAVE *et* MARIANNE, *auprès d'un tombeau.*

OCTAVE. – Moi seul au monde je l'ai connu. Cette urne d'albâtre[1],
couverte de ce long voile de deuil, est sa parfaite image. C'est ainsi
qu'une douce mélancolie voilait les perfections de cette âme tendre
et délicate. Pour moi seul, cette vie silencieuse n'a point été un
5   mystère. Les longues soirées que nous avons passées ensemble sont
comme de fraîches oasis dans un désert aride ; elles ont versé sur
mon cœur les seules gouttes de rosée qui y soient jamais tombées.
Cœlio était la bonne partie de moi-même ; elle est remontée au ciel
avec lui. C'était un homme d'un autre temps ; il connaissait les
10 plaisirs et leur préférait la solitude ; il savait combien les illusions
sont trompeuses, et il préférait ses illusions à la réalité. Elle eût été
heureuse la femme qui l'eût aimé.

MARIANNE. – Ne serait-elle point heureuse, Octave, la femme qui
t'aimerait ?

15 OCTAVE. – Je ne sais point aimer, Cœlio seul le savait. La cendre
que renferme cette tombe est tout ce que j'ai aimé sur la terre, tout
ce que j'aimerai. Lui seul savait verser dans une autre âme toutes
les sources de bonheur qui reposaient dans la sienne. Lui seul était
capable d'un dévouement sans bornes ; lui seul eût consacré sa vie
20 entière à la femme qu'il aimait, aussi facilement qu'il aurait bravé
la mort pour elle. Je ne suis qu'un débauché sans cœur ; je n'estime
point les femmes : l'amour que j'inspire est comme celui que je
ressens, l'ivresse passagère d'un songe. Je ne sais pas les secrets
qu'il savait. Ma gaieté est comme le masque d'un histrion[2] ; mon
25 cœur est plus vieux qu'elle, mes sens blasés n'en veulent plus. Je
ne suis qu'un lâche ; sa mort n'est point vengée.

MARIANNE. – Comment aurait-elle pu l'être, à moins de risquer
votre vie ? Claudio est trop vieux pour accepter un duel, et trop
puissant dans cette ville pour rien craindre de vous.

30 OCTAVE. – Cœlio m'aurait vengé Si j'étais mort pour lui comme il
est mort pour moi. Ce tombeau m'appartient ; c'est moi qu'ils ont

---

1. *Albâtre* : variété de pierre très blanche. \ 2. *Histrion* : vulgaire comédien, acteur bouffon.

étendu sous cette froide pierre ; c'est pour moi qu'ils avaient aiguisé leurs épées ; c'est moi qu'ils ont tué. Adieu la gaieté de ma jeunesse, l'insouciante folie, la vie libre et joyeuse au pied du Vésuve ! Adieu
35 les bruyants repas, les causeries du soir, les sérénades sous les balcons dorés ! Adieu Naples et ses femmes, les mascarades à la lueur des torches, les longs soupers à l'ombre des forêts ! Adieu l'amour et l'amitié ! Ma place est vide sur la terre.

MARIANNE. – Mais non pas dans mon cœur, Octave. Pourquoi
40 dis-tu : *Adieu l'amour* ?

OCTAVE. – Je ne vous aime pas, Marianne ; c'était Cœlio qui vous aimait !

QUESTION SUR LE CORPUS (6 points)

À quel genre théâtral appartiennent les textes A, B, C ?

TRAVAUX D'ÉCRITURE (14 points)

Commentaire

Vous commenterez le texte A.

Dissertation

Qu'est-ce qui, dans une pièce de théâtre, fait un dénouement réussi ? Vous construirez une réponse organisée et argumentée en vous appuyant sur des exemples précis tirés du corpus, des lectures faites en classe et de votre culture personnelle.

Écriture d'invention

On vous demande de mettre en scène *Phèdre* de Racine et de présenter vos intentions pour la mise en scène de la scène dernière. Vous rédigerez un texte à cet effet. Vous tiendrez compte du jeu des acteurs, mais aussi des costumes, des décors, des lumières et d'éventuels effets sonores, et vous veillerez à justifier les principes adoptés.

SUJET D'ÉCRIT **2** Dire la passion amoureuse

Objet d'étude : Genres et registres (le lyrisme amoureux)

DOCUMENTS

A. PSEUDO-LONGIN, *Traité du sublime* (Ier siècle apr. J.-C.), trad. Nicolas Boileau (1674), chapitre VIII, « De la sublimité qui se tire des circonstances »
B. RONSARD, *Nouvelle Continuation des Amours* (1556), « Chanson XLII »
C. RACINE, *Phèdre*, I, 3, v. 269-306
D. STENDHAL, *La Chartreuse de Parme* (1839), livre II, chapitre XV

DOCUMENT A

PSEUDO-LONGIN, *Traité du sublime* (Ier siècle apr. J.-C.), trad. Nicolas Boileau (1674), chapitre VIII, « De la sublimité qui se tire des circonstances »

> Ainsi, quand Sapho[1] veut exprimer les fureurs de l'amour, elle ramasse de tous côtés les accidents[2] qui suivent et qui accompagnent cette passion : mais où son adresse paraît principalement, c'est à choisir de tous ces accidents ceux qui marquent davantage l'excès et la violence de l'amour, et à bien lier tout cela ensemble.

> *Heureux ! qui près de toi, pour toi seule soupire :*
> *Qui jouit du plaisir de t'entendre parler :*
> *Qui te vois quelquefois doucement lui sourire.*
> *Les dieux, dans son bonheur, peuvent-ils l'égaler ?*
>
> 5   *Je sens de veine en veine une subtile flamme*
> *Courir par tout mon corps sitôt que je te vois :*

---

1. Poétesse grecque (VIIe-VIe siècle av. J.-C.), dont peu de textes sont conservés, Sapho est particulièrement connue pour son « Ode à l'aimée », citée ci-dessous, texte fondateur du lyrisme amoureux. \ **2.** *Accidents* : ce qui relève de la circonstance.

Et dans les doux transports où s'égare mon âme,
Je ne saurais trouver de langue, ni de voix.

Un nuage confus se répand sur ma vue.
10 *Je n'entends plus, je tombe en de douces langueurs,*
Et pâle, sans haleine, interdite, éperdue,
Un frisson me saisit, je tremble, je me meurs.

Mais quand on n'a plus rien, il faut tout hasarder, etc.

20 N'admirez-vous point comme elle ramasse toutes ces choses, l'âme,
le corps l'ouïe, la langue, la vue, la couleur, comme si c'étaient autant
de personnes différentes et prêtes à expirer ? Voyez de combien de
mouvements contraires [la poétesse] est agitée. Elle gèle, elle brûle,
elle est folle, elle est sage ; ou elle est entièrement hors d'elle-même,
ou elle va mourir. En un mot on dirait qu'elle n'est pas éprise d'une
30 simple passion, mais que son âme est un rendez-vous de toutes les
passions ; et c'est en effet ce qui arrive à ceux qui aiment.

DOCUMENT B

RONSARD, *Nouvelle Continuation des Amours* (1556), « Chanson XLII »

Je suis un demi-dieu quand assis vis-à-vis
De toi, mon cher souci, j'écoute les devis[1],
Devis entrerompus[2] d'un gracieux sourire,
Souris[3] qui me détient le cœur emprisonné,
5 Car en voyant tes yeux je me pâme[4] étonné[5],
Et de mes pauvres flancs un seul mot je ne tire.
Ma langue s'engourdit, un petit feu me court
Honteux de sous la peau, je suis muet et sourd,
Et une obscure nuit de sur mes yeux demeure,
10 Mon sang devient glacé, l'esprit fuit de mon corps,
Je tremble tout de crainte, et peut s'en faut alors
Qu'à tes pieds étendu languissant je ne meure.

---

1. *Devis* : propos (de conversation). \ **2.** *Entrerompus* : interrompus. \ **3.** *Souris* : sourire. \ **4.** *Se pâmer* : défaillir. \ **5.** *Étonné* : frappé comme par la foudre ; voir lexique, p. 175.

DOCUMENT C

RACINE, *Phèdre* I, 3

« Mon mal vient de plus loin [...] C'est Vénus toute entière à sa proie attachée. » ➡ p. 35-37, v. 269-316

> *Dans cette longue tirade, Phèdre confie à Œnone son amour coupable et incestueux pour Hippolyte, le fils de son époux Thésée parti depuis longtemps à la guerre.*

DOCUMENT D

STENDHAL, *La Chartreuse de Parme* (1839), livre II, chapitre XV

> *Conduit en prison à la citadelle de Parme, le héros de* La Chartreuse de Parme, *Fabrice del Dongo, retrouve Clélia, fille du gouverneur de la citadelle, qu'il a rencontrée autrefois.*

Durant ce court dialogue, Fabrice était superbe au milieu des ces gendarmes, c'était bien la mine la plus fière et la plus noble ; ses traits fins et délicats, et le sourire de mépris qui errait sur ses lèvres, faisaient un charmant contraste avec les apparences
5 grossières des gendarmes qui l'entouraient. Mais tout cela ne formait pour ainsi dire que la partie extérieure de sa physionomie ; il était ravi de la céleste beauté de Clélia, et son œil trahissait toute sa surprise. Elle, profondément pensive, n'avait pas songé à retirer la tête de la portière ; il la salua avec le demi-sourire le plus
10 respectueux ; puis, après un instant :
— Il me semble, mademoiselle, lui dit-il, qu'autrefois, près d'un lac, j'ai déjà eu l'honneur de vous rencontrer avec accompagnement de gendarmes.
Clélia rougit et fut tellement interdite qu'elle ne trouva aucune
15 parole pour répondre. « Quel air noble au milieu de ces êtres grossiers ! » se disait-elle au moment où Fabrice lui adressait la parole. La profonde pitié, et nous dirons presque l'attendrissement où elle était plongée, lui ôtèrent la présence d'esprit nécessaire pour trouver un mot quelconque, elle s'aperçut de son silence et
20 rougit encore davantage. En ce moment on tirait avec violence les verrous de la grande porte de la citadelle, la voiture de Son Excellence n'attendait-elle pas depuis une minute au moins ? Le

bruit fut si violent sous cette voûte, que, quand même Clélia
aurait trouvé quelque mot pour répondre, Fabrice n'aurait pu
25 entendre ses paroles.

QUESTION SUR LE CORPUS (6 points)

Quel est, dans chacun des quatre textes, le registre dominant ?

TRAVAUX D'ÉCRITURE (14 points)

Commentaire

Vous commenterez le texte B.

Dissertation

L'écrivain est-il d'abord un lecteur ? Vous construirez une réponse organisée
et argumentée en vous appuyant sur des exemples précis tirés du corpus,
des lectures faites en classe et de votre culture personnelle.

Écriture d'invention

En vous appuyant sur la diversité des textes du corpus ainsi que sur les
liens qui les unissent, vous rédigerez une courte préface qui pourrait
présenter et défendre un volume proposant une anthologie de textes
littéraires ayant pour objet la passion amoureuse.

SUJET D'ORAL 1 La scène d'exposition

RACINE, *Phèdre* I, 1
« Hé depuis quand, Seigneur, craignez-vous la présence [...] Si je la haïssais,
je ne la fuirais pas. » ⟹ p. 19-20, v. 29-56

Question

En quoi les vers 29 à 56 de la scène 1 de l'acte I contribuent-il à l'exposition ?

Pour vous aider à répondre
– Quels sont les personnages présents dans la scène 1 de l'acte I et qu'apprend-on sur eux ?
– Quels sont les personnages absents et qu'apprend-on sur eux ?

– Quelles données sur l'action le passage délivre-t-il ?
– En quoi la scène introduit-elle une tragédie ?
– Qu'est-ce qui demeure en suspens pour le spectateur ?

Comme à l'entretien

1. Quelle relation unit Théramène à Hippolyte ? Comment Racine tire-t-il profit de cette relation ?
2. Pourquoi Racine choisit-il de présenter le personnage de Phèdre d'abord indirectement, à travers le portrait qu'en fait Théramène ?
3. Quelle est la place du thème de l'amour ? Pourquoi ?
4. Quelle est la place du thème de la mort ? Pourquoi ?

SUJET D'ORAL 2 La tirade amoureuse

RACINE, *Phèdre* II, 2
« Je me suis engagé [...] Qu'Hippolyte sans vous n'aurait jamais formés. »
➡ p. 50-51, v. 524-560

Question

Quelles sont les caractéristiques de l'amour d'Hippolyte ?

Pour vous aider à répondre
– Relevez le champ lexical de l'amour.
– Relevez les métaphores présentes dans le passage.

– Relevez le champ lexical de l'orgueil.
– Relevez les figures de style fondées sur la contrariété.

Comme à l'entretien

1. Peut-on dire que le personnage d'Aricie est une invention de Racine ?
2. Quels sont les enjeux de l'amour d'Hippolyte pour Aricie dans l'économie de la pièce ?
3. Quels sont les points communs entre Aricie, Hippolyte et Phèdre ?
4. Quel sens peut-on donner au thème de l'équitation dans la pièce ?

SUJET D'ORAL **3** La mythologie au théâtre

Racine, *Phèdre* II, 5
« Oui, Prince, je languis, je brûle pour Thésée [...] Se serait avec vous retrouvée, ou perdue. » ⟹ p. 56-58, v. 634-662

Question

Quel usage Racine fait-il de la mythologie dans les vers 634 à 662 ?

Pour vous aider à répondre
Relevez et expliquez les références mythologiques dans la tirade de Phèdre. Distinguez le mythe et la réinterprétation que Phèdre en fait. Étudiez la progression du texte. Cernez la teneur argumentative de la tirade.

Comme à l'entretien

1. Phèdre développe dans sa tirade le thème de la ressemblance entre Hippolyte et son père. Qu'ont en commun ces deux personnages ?
2. Quelle est la place du mythe du Minotaure dans la pièce ?
3. Quel rôle l'aveu de Phèdre joue-t-il dans l'action ?
4. Peut-on dire de l'acte II qu'il est l'acte des aveux ?

SUJET D'ORAL **4** Le récit au théâtre

Racine, *Phèdre* V, 6
« Il suivait tout pensif le chemin de Mycènes. [...] Sera pour moi de pleurs une source éternelle. » ⟹ p. 111-113, v. 1501-1546

Question

Comment le récit de Théramène donne-t-il l'impression au public de vivre en direct la mort d'Hippolyte ?

Pour vous aider à répondre
– Les notations visuelles sont-elles précises ? Sont-elles nombreuses ?
– Quels termes renvoient au lexique de la vue ?
– Relevez les verbes d'action. Sont-ils fréquents ? À quel temps sont-ils employés ?
– Comment appelle-t-on la figure de style qui est à l'œuvre dans ce récit si vivant de la scène de la mort d'Hippolyte ?

Comme à l'entretien

1. Quelles raisons expliquent que Racine présente la mort d'Hippolyte sous la forme d'un récit ?

2. Sur quoi le pathétique de la scène 6 de l'acte V repose-t-il ?

3. Quelle est la place du dieu Neptune dans la pièce ?

4. Quelle est la place de la nature dans la pièce ?

POUR ALLER PLUS LOIN

À lire et à voir

SUR LA LITTÉRATURE DU XVIIe SIÈCLE

- ADAM A., *Histoire de la littérature française du XVIIe siècle* (1948-1956), rééd. Albin Michel, 1997.

- BÉNICHOU P., *Morales du grand siècle*, Gallimard, 1948.

SUR LE THÉÂTRE

- ARISTOTE, *Poétique*, introduction, traduction et notes M. Magnien, Le Livre de poche classique, 1990.

- LARTHOMAS P., *Le Langage dramatique*, PUF, 1980.

- MOREL J., *La Tragédie*, Armand Colin, 1997.

- ROUBINE J.-J., *Introduction aux grandes théories du théâtre*, Bordas, 1990.

- SCHERER J., *La Dramaturgie classique en France*, Nizet, 1950.

- UBERSFELD A., *Lire le théâtre*, Belin, 1996.

SUR RACINE

- BACKES J.-L., *Racine*, Le Seuil, 1981.

- BARTHES R., *Sur Racine* (1963), rééd. Le Seuil, 1979.

- Biet C., *Racine*, Hachette, 1996.

- Forestier G., *Jean Racine*, Gallimard, 2006.

- Goldman L., *Le Dieu caché. Étude sur la vision tragique dans les* Pensées *de Pascal et dans le théâtre de Racine* (1955), rééd. Gallimard, « Tel », 1976.

- Morel J., *Racine*, Bordas, 1992.

- Niderst A., *Racine et la tragédie classique*, PUF, 1978.

- Roubine J.-J., *Lectures de Racine*, Armand Colin, 1971.

- Scherer J., *Racine et/ou la cérémonie tragique*, PUF, 1982.

- Vinaver E., *Racine et la poésie tragique*, Nizet, 1952.

AUTRES ÉDITIONS DE *PHÈDRE*

- Racine, *Œuvres complètes*, éd. R. Picard, Gallimard, 1966, t. I.

- Racine, *Théâtre complet*, éd. J.-P. Collinet, Gallimard, 1983, t. II.

- Racine, *Théâtre complet*, éd. P. Sellier, Imprimerie nationale, 1995.

- Racine, *Œuvres complètes*, éd. G. Forestier, Gallimard, 1999, t. I.

SUR *PHÈDRE*

- *Le Choix de l'absolu. Racine,* Phèdre, Réunion des musées nationaux-musée des Granges de Port-Royal, 1999.

- Dandrey P., *Phèdre de Jean Racine. Genèse et issue d'un rets admirable*, Champion, 1999.

- Delmas C., « La mythologie dans *Phèdre* » et « Poésie et folklore d'après *Phèdre* », in *Mythologie et mythe dans le théâtre français (1650-1676)*, Genève, Droz, 1985.

- Fumaroli M., « Entre Athènes et Cnossos : les dieux païens dans *Phèdre* », *Revue d'histoire littéraire de la France*, 1993, n°s 1 et 2.

- Giavarini L., « La mélancolie, le sang, les signes. Notes sur le trouble dans

Pyrame et Thisbé de Théophile de Viau et *Phèdre* de Racine », *La Traversée de la mélancolie*, éd. E. Grossmann et N. Pigeay-Gros, Anglet, Atlantica, 2002.

• *Le Mythe de Phèdre. Les Hippolytes français du XVIIe siècle*, éd. A. G. Wood, Champion, 1996.

• MAURON C., *Phèdre*, José Corti, 1968.

• PELOUS J.-M., « Métaphores et figures de l'amour dans la *Phèdre* de Racine », *Travaux de linguistique et de littérature*, XIX, 2, 1981.

• SELLIER P. « De la tragédie considérée comme une liturgie funèbre : *Phèdre* », *L'Information littéraire*, 1979, n° 1.

SITES INTERNET

http://www.educnet.education.fr/theatre/pratiques/texteetrepresentation/phedre

Site du ministère de l'Éducation nationale recensant sites et documents en ligne consacrés à *Phèdre*.

http://www.antiquite.ac-versailles.fr/mytho0.htm

Site du Centre régional de documentation pédagogique de l'académie de Versailles, consacré à la mythologie.

http://www.amisdeportroyal.org

Site des Amis de Port-Royal, pour en savoir plus sur le jansénisme.

http://crdp.ac-paris.fr/d_college/res/dossier_tragedie.pdf

Synthèse de la tragédie proposée par le Centre régional de documentation pédagogique de l'académie de Paris.

http://cesar.org.uk/cesar2/

Site consacré aux spectacles sous l'Ancien Régime, pour en savoir plus sur les représentations de *Phèdre* avant la Révolution et sur le théâtre du temps.

http://www.theatre-odeon.fr/fichiers/t_downloads/file_284_dpd_phedre._pdf
http://www.theatre-odeon.fr/fichiers/t_downloads/file_77_dp_ph.pdf

Dossier de presse et dossier pédagogique sur la mise en scène de *Phèdre* par Patrice Chéreau au théâtre de l'Odéon (2003).

FILMOGRAPHIE ET CAPTATIONS

• *Phaedra*, réalisé par Jules Dassin, 1962 (disponible en DVD).

• *Phèdre*, réalisé par Pierre Jourdan, 1968 (disponible en DVD).

• *Phèdre*, mise en scène de Bernard de Coster au théâtre royal du Parc à Bruxelles, 1998, DVD (COPAT).

• *Phèdre*, mise en scène de Patrice Chéreau au théâtre de l'Odéon, 2003, DVD (Arte France, Azor Film, Odéon-Théâtre de l'Europe).

Lexique des mots récurrents

On prendra garde que les définitions ne sont pas exhaustives : elles ont pour objet de faciliter la lecture et la compréhension du texte.

A

Abusé : trompé, c'est-à-dire en proie à la tromperie, à l'erreur, à une illusion (voir *désabuser*).

Aigrir : « se dit figurément et signifie irriter, augmenter le mal » (*Dictionnaire de l'Académie*, 1694).

Affliger : du latin *affligere* (« frapper d'un coup, heurter », d'où « abattre, terrasser »), le verbe *affliger* signifie « accabler », « causer de la douleur, faire souffrir, soit au corps, soit à l'esprit » (*Dictionnaire de l'Académie*, 1694).

Affreux : « effroyable, qui est horrible, qui fait peur » (*Dictionnaire de l'Académie*, 1694).

Alarme : selon sa formation à partir de l'appel au combat (« à l'arme »), le mot a d'abord un sens militaire et désigne le signal du combat, d'où le sens psychologique d'« émotion causée par les ennemis » (*Dictionnaire de l'Académie*, 1694) et, plus généralement, dans la langue classique, le sens d'« inquiétude », de « vive frayeur ». La langue classique peut employer le terme dans un contexte galant et en lien avec la métaphore de guerre d'amour.

Amante : dans la langue classique, l'amante est celle qui aime, et est aimée en retour, à la différence de l'amoureuse. Le terme ne possède pas de dénotation sexuelle ; il appartient au champ sentimental.

Amour : entendu au sens de « passion amoureuse », le mot, en français moderne, est régulièrement masculin au singulier et féminin au pluriel. En ancien français, le terme était souvent masculin, et plus souvent encore féminin. Au xviie siècle, il est encore utilisé comme féminin au singulier.

Artifice : « se prend ordinairement pour ruse, déguisement, fraude » (*Dictionnaire de l'Académie*, 1694).

Aspect : « vue, présence de quelqu'un, de quelque chose » (*Dictionnaire de l'Académie*, 1694).

Auguste : « vénérable, sacré, digne de très grand respect » (*Dictionnaire de l'Académie*, 1694).

Avis : « avertissement, instruction qu'on donne à quelqu'un de quelque chose qu'il ignore, ou à quoi il ne prend pas garde » (*Dictionnaire* de Furetière, 1690) ; « information, nouvelle » (*Dictionnaire* de Littré).

B

Balancer : hésiter.

Bords : rives, rivages, mais aussi frontières d'un pays et, par métonymie, pays, contrée.

Bruit : le terme possède au XVIIe siècle des sens plus variés qu'aujourd'hui. Selon le *Dictionnaire de l'Académie* (1694), il signifie « son assez fort », il se dit des « affaires d'éclat » ; il signifie aussi « réputation, renom, renommée » (v. 943) ; « démêlé, querelle » ; « murmure, sédition » ainsi que, en un sens large, « rumeur, nouvelle » (v. 375).

C

Chagrin : le terme recouvre différents états d'âme allant de la tristesse amère et de la lassitude à la méchanceté et à la rudesse. Sont attestés dans la pièce les sens d'« humeur fâcheuse, mécontentement, mouvement d'irritation, inquiétude » (v. 33) ; d'« humeur mauvaise, malveillante » (v. 294) ; d'« humeur noire, mélancolie » (v. 148) ; d'« humeur sombre, farouche », de « rudesse » (v. 1111).

Charme : le mot provient du latin *carmen*, et en conserve le sens étymologique de « formule d'incantation magique, sortilège, enchantement ». Selon le *Dictionnaire* de Furetière (1690), le terme signifie au propre « puissance magique par laquelle les sorciers font des choses merveilleuses, au-dessus des forces ou contre l'ordre de la nature ». Il signifie aussi « figurément attrait, appât, qui plaît extrêmement, qui touche sensiblement » (*Dictionnaire de l'Académie*, 1694). Il est d'usage dans le champ sentimental : est « charmante » la beauté qui enchante.

Combler : « figurément combler la mesure, commettre une dernière action qui rende toute patience, toute indulgence impossible » (*Dictionnaire* de Littré). *Combler* signifie d'abord, concrètement, « remplir un vaisseau, une mesure jusque par-dessus les bords tant qu'il y en peut tenir » (*Dictionnaire de l'Académie*, 1694).

Se confondre : se troubler. *Confondu* et *confus*, de la même famille étymologique, signifient tous deux « troublé, bouleversé ». *Confondu* peut plus précisément se dire de ceux « qu'on surprend en quelque action honteuse qui les fait rougir » (*Dictionnaire* de Furetière, 1690). Ainsi, *confusion* « se dit aussi pour signifier la honte » (*Dictionnaire de l'Académie*, 1694).

Connaître : reconnaître ; *se connaître* : avoir conscience de son état, savoir qui l'on est.

Courage : signifie d'abord le « cœur », siège du sentiment ou de la volonté, et désigne plus précisément « l'ensemble des passions que l'on porte au cœur » (*Dictionnaire* de Littré), la « disposition de l'âme avec laquelle elle se porte à entreprendre ou à repousser, ou à souffrir quelque chose » (*Dictionnaire de l'Académie*, 1694).

Cri : « gémissement, plainte, accusation » (*Dictionnaire* de Littré) ; figurément, appel qui émane des choses, des sentiments.

Cruel : le mot provient du latin *cruor*, « le sang qui coule » et possède encore son sens étymologique.

D

Déplorable : « digne de compassion, de pitié. Il ne se dit que des choses » (*Dictionnaire de l'Académie*, 1694). À rapprocher de *pleurer*, qui appartient à la même famille étymologique.

Désabuser : détromper (voir *abusé*).

Détester : le mot signifie « réprouver, avoir en horreur. On dit proverbialement et bassement *détester sa vie*, pour dire maudire les misères, les malheurs de sa vie. Et on dit encore proverbialement et bassement *qu'un homme ne* *fait que jurer et détester*, pour dire qu'il fait de grandes imprécations » (*Dictionnaire de l'Académie*, 1694). Le sens de *maudire* est étymologique : *detestari* signifie en effet « se détourner en attestant les dieux », d'où « maudire solennellement ».

Dessein : « résolution de faire quelque chose » (*Dictionnaire de l'Académie*, 1694).

Doute : le mot « signifie quelquefois crainte, appréhension » (*Dictionnaire de l'Académie*, 1694).

E

Éclaircir : « instruire de quelque chose que l'on ne savait pas » (*Dictionnaire* de Richelet, 1680).

Effet (en) : « réellement » (*Dictionnaire de l'Académie*, 1694).

Embrasser : le terme « signifie encore entreprendre une affaire, en prendre le soin » (*Dictionnaire de l'Académie*, 1694).

Empire : « commandement, puissance, autorité » (*Dictionnaire de l'Académie*, 1694) ; par métonymie « territoire où s'exerce une domination ». Le terme s'applique à de nombreux champs, la politique, les relations sociales, la morale (« On dit *avoir de l'empire sur soi-même*, pour dire savoir commander à ses passions », *Dictionnaire de l'Académie*, 1694).

Ennemi : le mot peut être pris au sens propre mais aussi par antiphrase. En effet, « *ennemi* se dit quelquefois en galanterie par antiphrase. Un amant appelle sa maîtresse, sa douce *ennemie* » (*Dictionnaire* de Furetière, 1690).

Ennui : au XVIIe siècle, le terme possède encore un sens très fort, lié à l'origine étymologique du verbe *ennuyer*, dont il dérive, à savoir l'expression latine *in odio esse*, qui signifie « être un objet de haine ». Outre le sens de « lassitude, langueur, fatigue d'esprit, causée par une chose qui déplaît par elle-même, ou par sa durée, ou par la disposition dans laquelle on se trouve » (*Dictionnaire de l'Académie*, 1694), *ennui* désigne le tourment, le chagrin, le désespoir.

Entendre : « comprendre, concevoir en son esprit, avoir l'intelligence de quelque chose » (*Dictionnaire de l'Académie*, 1694).

Étonner : le sens moderne d'*étonner* apparaît au XVIIe siècle. Néanmoins, l'origine étymologique du mot, le latin *adtonare* qui signifie « frapper par la foudre », puis au figuré, « frapper de stupeur », est encore très présente. Le *Dictionnaire* de Furetière (1690) définit le verbe en ces termes : « causer à l'âme de l'émotion, soit par surprise, soit par admiration, soit par crainte ».

Exciter : « animer, encourager » (*Dictionnaire de l'Académie*, 1694).

F

Fatal : le mot provient du latin *fatalis* qui dérive de *fatum* (« prédiction, destin », et en particulier « destin funeste, malheur ») et se rattache à l'idée d'une profération divine réglant inéluctablement les destinées. Dans la langue classique, *fatal* possède également un sens plus large et peut équivaloir à « funeste ».

Fier, fierté : le mot conserve encore une part de son sens étymologique (le latin *ferus* signifie « sauvage, farouche ») ; **fierté** : « se dit de l'état de l'âme d'une femme qui ne se rend pas à l'amour » (*Dictionnaire* de Littré).

Flatter : ce mot « signifie aussi tromper en déguisant la vérité ou par faiblesse, ou par une mauvaise crainte de déplaire. [...] On dit *flatter quelqu'un de quelque chose*, pour dire : lui faire espérer quelque chose. [...] On dit *flatter sa douleur*, [...] pour dire adoucir le sentiment de sa douleur [...] par des imaginations agréables » (*Dictionnaire de l'Académie*, 1694).

Foi : le mot, provenant du latin *fides*, appartient à la même famille que *fidélité*. Il désigne à la fois l'engagement (moral, amoureux ou conjugal par exemple) sous forme de promesse et de serment, la confiance que l'on place en cet engagement, et la capacité à le tenir, c'est-à-dire la loyauté, la fidélité.

Front : « l'air, l'attitude, le langage, les manières, surtout en poésie » (*Dictionnaire* de Littré).

Funeste : du latin *funus* (« funérailles, mort »), l'adjectif *funeste* qualifie dans des emplois très variés ce qui est relatif à la mort. Est *funeste* ce qui menace de mort, ce qui cause la mort, ce qui plus largement comporte une idée de mort. En témoigne le *Dictionnaire de l'Académie* qui définit le mot en ces termes : « malheureux, sinistre, qui porte la calamité et la désolation avec soi ».

Fureur : le mot provient du latin *furor*, qui signifie « délire, folie, égarement, frénésie », et qui peut aussi particulièrement désigner la passion folle ou la possession inspirée par un dieu. Au XVIIe siècle, *fureur* se dit toujours de la folie furieuse, « emportement violent causé par un dérèglement d'esprit et de la raison » mais aussi « en morale, de la colère » et plus largement « de toutes les passions qui nous font agir avec de grands emportements », ainsi que « des mouvements violents de l'âme, des enthousiasmes [*i. e.* des possessions divines] » » (*Dictionnaire de Furetière*, 1690).

G • H

Généreux : le mot possède encore son sens étymologique. Le latin *generosus* signifie « qui a de la naissance, bien né », d'où « noble » (de naissance comme de sentiments).

Gloire : honneur.

Horreur, horrible : *horreur* provient du latin *horrere*, qui possède d'abord le sens physique de « se dresser, se hérisser » – et en particulier en parlant des poils et cheveux qui se hérissent par effroi et horreur – et qui signifie aussi « trembler, frissonner », notamment sous l'effet de l'effroi, d'où les sens de « craindre » et d'« avoir horreur ». Les valeurs étymologiques se retrouvent dans *Phèdre* où l'*horreur* est à la fois un sentiment de répulsion très fort mais également une manifestation physique de ce sentiment ; **horrible** : qui inspire de l'horreur.

Hymen : terme poétique pour désigner le mariage.

I • J

Imposture : « calomnie, ce que l'on impute faussement à quelqu'un dans le dessein de lui nuire » (*Dictionnaire de l'Académie*, 1694).

Interdit : le mot « signifie aussi étonné, troublé, qui ne sait ce qu'il fait, ce qu'il dit » (*Dictionnaire de l'Académie*, 1694).

Irriter : « se dit figurément en choses morales, et signifie exciter, rendre plus vif et plus fort » (*Dictionnaire* de Furetière, 1690). Comme au vers 701, le verbe peut aussi avoir le sens moderne de « mettre en colère » (*Dictionnaire de l'Académie*, 1694).

Joug : au sens figuré, désigne un état de dépendance, de servitude, de soumission. Dans la langue classique, le mot est fréquemment utilisé à propos du lien amoureux exerçant sa force et sa puissance de contrainte sur celui qui aime.

Juste : légitime, fondé.

Justifier : rendre justice à ; « montrer, prouver, déclarer que quelqu'un qui était accusé est innocent » (*Dictionnaire de l'Académie*, 1694).

L

Lit : le mot « se dit figurément en choses morales, et signifie le mariage » (*Dictionnaire* de Furetière, 1690).

Lumière : « ce mot au figuré signifie *la vie* » (*Dictionnaire* de Richelet, 1680) [v. 229 et 1589]. Au vers 1602, le mot signifie aussi « éclaircissement, indice sur quelque sujet, sur quelque affaire » (*Dictionnaire de l'Académie*, 1694).

M • N

Maison : le mot « se dit d'une race noble, d'une suite de gens illustres venus de la même souche, qui se sont signalés par leur valeur, ou par leurs emplois, ou par les grandes dignités qu'ils ont eues par leur naissance » (*Dictionnaire* de Furetière, 1690).

Mânes : « substantif masculin pluriel. Nom que les anciens donnaient à l'ombre, à l'âme d'un Mort » (*Dictionnaire de l'Académie*, 1694).

Marâtre : belle-mère.

Mémoire : souvenir de la postérité.

Noir, noircir : « méchant, avec mélange de trahison, de perfidie, en parlant des choses » (*Dictionnaire* de Littré) ; **noircir** : « signifie figurément diffamer, faire passer pour méchant [*i. e.* "mauvais", "contraire à la probité, à la justice"], ou pour infâme » (*Dictionnaire de l'Académie*, 1694).

O • P

Objet : « on dit poétiquement, *l'objet de ma flamme, l'objet de mes désirs, etc.*, pour dire, la personne qu'on aime » (*Dictionnaire de l'Académie*, 1694).

Odieux : « qui excite l'aversion, la haine, l'indignation » (*Dictionnaire de l'Académie*, 1694). En latin, *odium* signifie « haine, aversion ».

Opprimer : accabler. Le verbe tient cette acception de son étymologie : le latin *opprimere*, du préfixe *ob* et du verbe *premere* (« presser »), signifie au sens propre « comprimer, presser », et au sens figuré, « accabler, faire pression sur ».

Opprobre : « honte profonde, déshonneur extrême » (*Dictionnaire de* Littré).

Perfide, perfidie : nom et adjectif, désignant celui qui est « traître, déloyal, qui manque à sa foi, à sa parole ». L'adjectif « se dit aussi des choses » (*Dictionnaire de l'Académie*, 1694) ; **perfidie** : « déloyauté, manquement de foi » (*ibid.*). L'acception du terme provient de son sens étymologique : en latin, *perfidus* qualifie littéralement celui qui transgresse (préfixe *per*) la foi, la fidélité (*fides*).

Pudeur : comme le mot latin *pudor*, dont il provient, le terme *pudeur* désigne la honte, la confusion, l'« honnête honte » (*Dictionnaire de l'Académie*, 1694), et par suite, la capacité à avoir honte, c'est-à-dire la timidité, la modestie. Au XVIIe siècle, il est employé pour désigner la chasteté féminine et peut également traduire un sentiment de confusion à l'égard d'une manifestation de la sexualité.

Purger : le verbe possède le sens concret de « purifier, nettoyer, ôter ce qu'il y a de grossier et d'impur » (*Dictionnaire de l'Académie*, 1694), et peut par extension prendre le sens de « débarrasser de ».

R • S

Réciter : raconter, rapporter, faire le récit de.

Retraite : lieu où l'on se retire. Au vers 506, la *retraite* est le lieu où l'on séjourne, mais aussi ce peut être aussi le lieu où l'on se réfugie, ou bien où l'on demeure caché, comme au vers 650.

Sang : dans la pièce, le mot prend fréquemment un sens figuré pour désigner la parenté, la famille, la lignée. Il peut plus particulièrement, comme au vers 1288, désigner « les enfants par rapport à leurs pères, les membres de la famille par rapport les uns aux autres » (*Dictionnaire* de Littré).

Scythe : le terme désigne avec imprécision les nomades des steppes eurasiennes. Selon l'historien grec Hérodote, les Scythes et les Amazones auraient une descendance commune. Le Scythe incarne aussi le type de l'homme barbare, grossier ou encore indomptable.

Séduire : égarer, « tromper, abuser, faire tomber dans l'erreur » (*Dictionnaire de l'Académie*, 1694). *Seducere* (de *ducere*, « conduire ») signifie en latin « conduire à l'écart, détourner, mener hors du droit chemin ».

Sexe : « quand on dit *le beau sexe*, ou absolument *le sexe*, on entend toujours parler des femmes » (*Dictionnaire de l'Académie*, 1694).

Soins : au XVIIᵉ siècle, le mot possède une plus grande étendue sémantique, ainsi qu'en témoignent les autres occurrences de la pièce. Le premier sens donné par le *Dictionnaire de l'Académie* (1694), à savoir « application d'esprit à faire quelque chose » (v. 756), conduit à l'idée de sollicitude (v. 1612), de préoccupation et de souci (v. 423, v. 482, v. 617, v. 657, v. 666, v. 1491), d'effort (v. 547, v. 687) ou encore d'obligation (v. 932).

Superbe : l'adjectif vient du latin *superbus* qui, à l'origine, signifie « qui est au-dessus des autres ». Il possède un sens moral et s'applique à « qui est orgueilleux, d'un orgueil qui apparaît dans l'air et l'extérieur » (*Dictionnaire* de Littré). Dans la pièce, il contribue en ce sens à la définition de la figure tragique d'Hippolyte. Il peut posséder également divers sens concrets. Appliqué aux murailles d'Athènes (v. 360), il dénote l'élévation physique, la hauteur, sans exclure pour autant l'idée de magnificence voire d'orgueil. Appliqué aux chevaux d'Hippolyte (v. 1503), il désigne leur allure altière : *superbe* « se dit des animaux qui semblent orgueilleux de leur force » (*Dictionnaire* de Littré).

T • V

Tête : « se prend aussi pour toute la personne » (*Dictionnaire de l'Académie*, 1694).

Timide : craintif, selon le sens étymologique (le verbe latin *timere* signifie « craindre »).

Tourment, tourmenté : dans la langue classique, le terme possède un sens très fort qui provient de son étymologie. En latin, *tormentum* désigne d'abord l'instrument de torture, d'où la torture physique ou morale. Ainsi, *tourment* désigne une grande souffrance, physique ou morale, le supplice ; **tourmenté** : torturé.

Trait : flèche, et notamment celle du dieu de l'amour, Cupidon (ou Éros).

Transport : le mot possède le sens figuré de « mouvement violent de passion qui nous met hors de nous-mêmes » (*Dictionnaire* de Littré). Le transport est fréquemment une manifestation de la passion amoureuse mais aussi, chez Thésée, de la colère.

Travaux : le mot se dit au pluriel des « entreprises pénibles et glorieuses » (*Dictionnaire* de Littré). Voir les *travaux d'Hercule*. Au vers 944, le singulier est utilisé avec la même acception.

Triste : dans la langue classique, le terme possède encore un sens fort, lié à son étymologie. En latin, *tristis* signifie « de mauvais augure, sinistre, funeste » et par extension « funèbre ». Appliqué à des choses, le terme signifie, au XVIIe siècle, « funeste, redoutable, lugubre ». Appliqué à des personnes, il signifie « affligé, abattu de douleur » (*Dictionnaire de l'Académie*, 1694).

Vœux : désirs amoureux.

Lexique des noms propres

A

Achéron : nom d'un fleuve des Enfers, mais aussi de plusieurs cours d'eaux : en Élide, à l'ouest du Péloponnèse ; en Épire, au nord-ouest de la Grèce, où les Grecs situaient une entrée des Enfers ; et en Laconie, où il disparaît à proximité du cap Ténare, au sud du Péloponnèse et où il est donc également tout proche, pour les Grecs, d'une entrée des Enfers.

Alcide : autre nom d'Hercule, petit-fils d'Alcée. Voir *Hercule*.

Ariane : sœur de Phèdre. Grâce à une pelote de fil, elle aide Thésée à trouver son chemin dans le labyrinthe où le Minotaure était enfermé (d'où l'expression le « fil d'Ariane »). Après lui avoir promis de l'amener à Athènes avec lui et de l'épouser, Thésée l'abandonne sur le chemin de retour dans l'île de Naxos. Dionysos (Bacchus chez les Latins) y aurait découvert Ariane et l'aurait épousée. Selon une autre tradition, l'amour d'Ariane pour Thésée aurait trahi celui du dieu du vin, qui se serait vengé en la faisant mourir à Naxos d'une flèche lancée par la déesse Artémis (Diane chez les Latins).

Attique : région située au sud-est de la Grèce continentale, dont la capitale est Athènes.

B • C • D

Bacchus (Dionysos chez les Grecs) : dieu du vin et du théâtre.

Corinthe : l'isthme de Corinthe est une langue de terre qui relie le Péloponnèse à la Grèce continentale et sépare la mer Égée et la mer Ionienne.

Diane (Artémis chez les Grecs) : déesse vierge présidant à la chasse, sœur d'Apollon et associée à la lune.

E • H

Égée : fils de Pandion, père de Thésée, et roi d'Athènes.

Épire : région du nord-ouest de la Grèce où l'on situait une entrée des Enfers.

Érechthée : différentes légendes sont relatives à Érechthée, ancêtre des Pallantides (voir ce nom). Confondu à l'origine avec Érichthonios, « fils de la Terre », ce héros est lié aux mythes fondateurs de l'Attique et passe pour l'héritier de Cécrops, premier roi du territoire.

Hercule (Héraclès chez les Grecs) : petit-fils d'Alcée, connu pour ses Douze Travaux qui sont autant d'exploits héroïques, mais aussi pour ses aventures amoureuses. En témoignent ses amours avec Omphale, la reine de Lydie.

M • N

Médée : petite-fille du Soleil, nièce de Circé et cousine de Phèdre, Médée est une magicienne et une experte en poisons. Elle aide Jason à ramener la Toison d'or et s'enfuit avec lui. Elle s'unit à lui, et tue plus tard leurs enfants par jalousie. Selon la légende, elle se réfugie à Athènes auprès d'Egée, lui promet des enfants, et tente d'empoisonner Thésée, lorsqu'il arrive pour se faire reconnaître par son père (voir Plutarque, *Vie de Thésée*). À partir de cet épisode de la légende de Thésée, Lully et Quinault ont composé un opéra, *Thésée*, créé en 1675. Figure noire, Médée a été un sujet de tragédie pour Euripide, Sénèque, ou encore Corneille (1634).

Minos : fils de Jupiter (Zeus chez les Grecs), roi de Crète, époux de Pasiphaé, fille du Soleil, et père de Phèdre et d'Ariane. Il fait construire un labyrinthe par l'ingénieux Dédale pour y enfermer le Minotaure (voir ce nom), fruit monstrueux des amours de sa femme avec un taureau. Après sa mort, il devient un des trois juges des Enfers.

Minotaure : monstre à corps d'homme et à tête de taureau, né des amours de Pasiphaé, fille du Soleil et épouse du roi Minos, avec un taureau envoyé par Neptune (Poséidon). Pour certains, Neptune se serait vengé de Minos, qui avait omis de lui sacrifier l'animal, en inspirant cette passion contre nature à Pasiphaé. Pour d'autres, elle est l'effet de la colère de Vénus (Aphrodite) dont le Soleil, père de Pasiphaé, aurait dévoilé les amours adultères avec Mars (Arès). Enfermé dans le labyrinthe crétois, le monstre recevait en pâture des jeunes gens d'Athènes. Il fut tué par Thésée.

Neptune (Poséidon chez les Grecs) : on attribue au dieu des mers, frère de Jupiter (Zeus) et de Pluton (Hadès), l'invention de l'art de l'équitation. Il aurait également fait naître d'un rocher le premier cheval. Il passe parfois pour le père de Thésée.

P

Pallante (ou Pallas) : fils du roi d'Athènes Pandion, et frère d'Égée (le père de Thésée ; voir ce nom), Pallante et ses fils, les Pallantides (au nombre de cinquante selon Plutarque), espéraient succéder à Égée sur le trône d'Athènes, tant qu'ils ignoraient l'existence de Thésée, élevé à Trézène. Au retour de Thésée, ils contestèrent sa légitimité et se soulevèrent. Thésée les massacra tous.

Pallantides : voir Pallante.

Pasiphaé : fille du Soleil, femme de Minos, roi de Crète et mère de Phèdre, d'Ariane et du Minotaure. Sous l'effet de la colère divine, celle de Vénus à l'encontre de son père le Soleil, qui avait dévoilé ses amours adultères, ou celle de Neptune à qui Minos avait omis de sacrifié un taureau venu de la mer, elle se prit de passion pour ce même taureau.

Pirithoüs (ou Pirithoos) : ami légendaire de Thésée. Ils s'étaient tous deux promis d'épouser chacun une fille de Zeus (Jupiter). C'est à Thésée qu'échut Hélène, pas encore mariée au roi Ménélas, et son ami l'aida à l'enlever. À son tour, Thésée prêta main forte à Pirithoos, et tous deux descendirent aux Enfers pour ravir Perséphone (Proserpine), déesse des Enfers et fille de Zeus et de Déméter (Cérès). Seul Thésée put en remonter, grâce à l'intervention d'Héraclès (Hercule). Une tradition transpose cette dernière aventure en Épire, chez le roi des Molosses, « lequel avait surnommé sa femme Cérès, sa fille Proserpine, et son chien Cerbère, contre lequel il faisait combattre ceux qui venaient demander sa fille en mariage, promettant de la donner à celui qui demeurerait vainqueur ; mais étant lors averti que Pirithoos était venu non pour requérir sa fille en mariage,

[mais] pour la ravir, il le fit arrêter prisonnier avec Thésée ; et quant à Pirithoos, il le fit incontinent défaire [*i. e.* faire mourir] par son chien, et fit serrer Thésée en étroite prison. [...] Mais Hædonée roi des Molosses festoyant avec Hercule un jour qu'il passa dans son royaume, tomba d'aventure en propos de Thésée et de Pirithoos, comment ils étaient venus pour lui ravir d'emblée sa fille et comme ayant été découverts, ils en avaient été punis. Hercule fut bien déplaisant [*i. e.* au déplaisir] d'entendre que l'un était déjà mort, et l'autre en grand danger de mourir, et pensa bien que s'en plaindre à Hædonée ne servirait de rien ; [ainsi] le pria seulement de vouloir délivrer Thésée pour l'amour de lui, ce qu'il lui octroya. Ainsi Thésée, étant délivré de cette captivité, s'en retourna à Athènes » (Plutarque, *Vie de Thésée*, trad. J. Amyot [1559], éd. 1565).

Pitthée : grand-père maternel de Thésée et frère de Thyeste et d'Atrée. Roi de Trézène, réputé pour sa sagesse, il éleva son petit-fils Thésée et son arrière-petit-fils Hippolyte.

T • V

Trézène : ville située à l'est du Péloponnèse.

Vénus (Aphrodite chez les Grecs) : déesse de l'amour et de la beauté, épouse du dieu Vulcain (Héphaïstos) et maîtresse de Mars (Arès), le dieu de la guerre.

CLASSIQUES & CIE

6 Abbé Prévost
Manon Lescaut

82 Anthologie
Écrire, publier, lire

41 Balzac
**Le Chef-d'œuvre inconnu
Sarrasine**

47 Balzac
Le Colonel Chabert

53 Balzac
La Femme de trente ans

11 Balzac
**La Duchesse de Langeais
Ferragus – La Fille aux yeux d'or**

3 Balzac
La Peau de chagrin

34 Balzac
Le Père Goriot

42 Barbey d'Aurevilly
Le Chevalier des Touches

42 Barbey d'Aurevilly
Les Diaboliques

20 Baudelaire
Les Fleurs du mal

61 Baudelaire
Le Spleen de Paris

55 Beaumarchais
Le Barbier de Séville

15 Beaumarchais
Le Mariage de Figaro

83 Brisville (J.-C)
Le Souper

59 Chateaubriand
René

51 Corneille
Le Cid

71 Corneille
Horace

2 Corneille
L'Illusion comique

38 Diderot
Jacques le Fataliste

66 Diderot
**Supplément au Voyage
de Bougainville**

80 Durringer
Ex-voto

62 Flaubert
L'Éducation sentimentale

17 Flaubert
Madame Bovary

44 Flaubert
Trois Contes

70 Flaubert
Fables

4 Hugo
Le Dernier Jour d'un condamné

60 Hugo
Hernani

21 Hugo
Ruy Blas

8 Jarry
Ubu roi

36 La Bruyère
**Les Caractères
(De la ville - De la cour
Des grands - Du souverain
ou de la république)**

5 Laclos
Les Liaisons dangereuses

14 Lafayette (Mme de)
La Princesse de Clèves

78 Laroui
De quel amour blessé

50 Marivaux
La Double Inconstance

46 Marivaux
L'Île des Esclaves

12 Marivaux
Le Jeu de l'amour et du hasard

75 Marivaux
Les Acteurs de bonne foi

30 Maupassant
Bel-Ami

52 Maupassant
**Le Horla et autres
nouvelles fantastiques**

18 Maupassant
Nouvelles

27 Maupassant
Pierre et Jean

40 Maupassant
Une vie

48 Mérimée
Carmen - Les Âmes du purgatoire

48 Mérimée
Lokis

1 Molière
Dom Juan

19 Molière
L'École des femmes

25 Molière
Le Misanthrope

9 Molière
Le Tartuffe ou l'Imposteur

45 Montesquieu
Lettres persanes

81 Musset
Les Caprices de Marianne

10 Musset
Lorenzaccio

54 Musset
On ne badine pas avec l'amour

58 Perrault
Contes en vers et en prose

57 Proust
Un amour de Swann

35 La poésie
française au XIXe siècle

26 Rabelais
Pantagruel - Gargantua

31 Racine
Andromaque

22 Racine
Bérénice

45 Racine
Britannicus

7 Racine
Phèdre

64 Rimbaud
**Poésies
(Poésies - Une saison en enfer
Illuminations)**

79 Rotrou
Le Véritable Saint Genest

37 Rostand
Cyrano de Bergerac

16 Rousseau
Les Confessions

68 Sophocle
Œdipe-roi

69 Shakespeare
Hamlet

72 Sophocle
Roméo et Juliette

65 Stendhal
Les Cenci

32 Stendhal
Le Rouge et le Noir

77 Trouillot
Bicentenaire

67 Verlaine
**Poèmes saturniens et autres
recueils (Fêtes galantes -
Romances sans paroles)**

39 Verlaine
Le château des Carpathes

84 Vigny
Chatterton

13 Voltaire
Candide ou l'optimisme

24 Voltaire
L'ingénu

56 Voltaire
Micromégas et autres contes

33 Voltaire
Zadig

63 Zola
Au Bonheur des Dames

29 Zola
L'Assomoir

49 Zola
La Curée

76 Zola
La Fortune des Rougon

28 Zola
Germinal

43 Zola
Thérèse Raquin

Hatier s'engage pour l'environnement en réduisant l'empreinte carbone de ses livres. Celle de cet exemplaire est de :

600 g éq. CO$_2$

Rendez-vous sur www.hatier-durable.fr

PAPIER À BASE DE
FIBRES CERTIFIÉES

 Achevé d'imprimer par Grafica Veneta à Trebaseleghe - Italie
Dépôt légal n° 95892-2/08 - Septembre 2017